D1291472

le
partage
de
l'afrique
noire

Sur la couverture :

Trois jeunes Bamilékés. Chefferie de Bandjoun (Cameroun).
Cliché Hoa-Qui.

henri brunschwig

le partage de l'afrique noire

questions d'histoire

collection
dirigée
par
marc ferro

flammarion

SIGLES

A.E. MD :	Archives du ministère des Affaires étrangères, Mémoires et Documents.
A.I.A. :	Association Internationale Africaine.
A.I.C. :	Association Internationale du Congo.
Arch. nat. S.O.M. :	Archives nationales, Section d'Outre-Mer.
D.O.A.G. :	Deutsche Ost-Afrikanische Gesellschaft.
I.F.A.N. :	Institut Français d'Afrique noire.
J.A.H. :	Journal of African History.

CHRONOLOGIE

I. — LA RIVALITÉ FRANCO-BRITANNIQUE
(1763-1882)

RELATIONS INTERNATIONALES

1763	Traité de Paris.
1783	Traité de Versailles.
1815	Traité de Vienne.
1830	Révolutions française et belge.
1832	Première crise égyptienne.
1840	Deuxième crise égyptienne.
1848	Révolutions de 1848.
1856	Congrès de Paris.
1867	Découverte du diamant (Kimberley).
1869	Ouverture du canal de Suez.
1870-1871	Guerre franco-prussienne.
1872	Achèvement du premier chemin de fer aux Etats-Unis.
1875	Crise franco-allemande.
1876	Conférence internationale de géographie de Bruxelles. Fondation de l'A.I.A.
1878	Congrès de Berlin, l'Allemagne passe au protectionnisme.
1882	Formation de la Triplice.

INTERVENTION EN AFRIQUE
RIVALITÉS EN AFRIQUE

1763	Cession de Saint-Louis et des comptoirs sénégalais à l'Angleterre (sauf Gorée).
1765	La Gambie (Sénégambie) colonie de la couronne britannique.
1770	Les Mascareignes, colonies de la couronne française.
1783	Le Sénégal colonie française.
1804	Les Anglais prennent Gorée.
1806	Les Anglais enlèvent Le Cap aux Hollandais.
1807	La Sierra-Leone, colonie de la Couronne.
1809	Les Anglais prennent Saint-Louis (Sénégal).
1810	Les Anglais prennent les Mascareignes.
1815	La France récupère ses comptoirs du Sénégal et l'île Bourbon (Réunion). L'Angleterre conserve Le Cap enlevé aux Pays-Bas et l'île de France (Maurice) enlevée à la France.
1830	Prise d'Alger par la France. Le gouvernement britannique cède à une Compagnie subventionnée les anciens comptoirs de la Gold Coast — Mac Lean gouverneur.
1841	La France s'installe à Nossy Bé.
1843	L'Angleterre annexe la Gold Coast. La France annexe Mayotte et acquiert la souveraineté sur Grand Bassam, Assinie et l'estuaire du Gabon.
1845	Le Natal, colonie britannique.
1852-1854	L'Angleterre reconnaît l'autonomie des Républiques boers du Transvaal et d'Orange.
1854-1863	Faidherbe au Sénégal.
1861	Lagos, colonie de la Couronne.

1862	Traité franco-britannique sur l'intégrité de Zanzibar.
1862-1868	Rivalité franco-britannique au Dahomey (Porto-Novo-Cotonou).
	Extension de la souveraineté française au Gabon (Cap Lopez, Fernan Vaz).
1865-1866	Fondation des postes de Boké, Benty, Boffa, dans les Rivières du Sud (Guinée).
1870-1871	La France évacue Assinie et Grand Bassam.
1873	L'Angleterre rachète les comptoirs hollandais de Gold Coast.
1874	Guerre achantie (Gold Coast).
1876	Premier projet du Cap-Caire.
1878-1879	Stanley puis Brazza rentrent du Congo.
1879	Freycinet, ministre des Travaux publics, forme une Commission du Transsaharien.
	Condominium franco-britannique en Egypte.
1880	Première expédition de Pastré de Sanderval au Fouta-Djalon.
1880-1898	Conquête du Soudan occidental par les Français.
1881	Massacre de la deuxième mission du colonel Flatters (Transsaharien).
	Traité du Bardo : Protectorat sur la Tunisie.

II. — LA COURSE AU CLOCHER
(1878-1918)

| 1911 | Deuxième crise marocaine (Agadir). |
| 1914-1918 | Première Guerre mondiale. |

FRANCE

1880	Brazza fonde Franceville et conclut le Traité Makoko.
1882	Ratification du Traité Makoko.
1883	Brazza commissaire de la République dans l'Afrique de l'Ouest.
1885 5 février	Reconnaissance du pavillon de l'A.I.A. par la France.
1890	Prise de Ségou, capitale de l'Etat toucouleur.
5 août	Echange de lettres franco-anglais.
1891	Fondation du comité de l'Afrique française.
1896-1905	Gallieni à Masdagascar.
1898 18 septembre	Fachoda.
29 septembre	Défaite et prise de Samori.
1900	Kousseri : Défaite et mort de Rabah.
1911	Accord franco-allemand (Maroc-Congo).

ANGLETERRE

1882	Les Anglais à Alexandrie et au Caire.
1886	Traité de partage avec l'Allemagne. Zones d'influence en Afrique orientale. Charte de la Cie royale du Niger.
1887	Première conférence impériale britannique.
1888	Emin Pacha Relief Comittee.
1890	Ultimatum anglais au Portugal obligé d'évacuer la région du Shiré.
24 mai	Accord Mackinnon-Léopold II.
1er juillet	Traité anglo-allemand

5 août	Echange de lettres anglo-français.
1898	
30 août	Traité anglo-allemand sur les colonies portugaises.
18 septembre	Fachoda.
1899-1902	Guerre des Boers.
1910	Formation de l'Union sud-africaine.

LÉOPOLD II

1879	Stanley à l'embouchure du Congo.
1884	
22 avril	Reconnaissance du Pavillon de l'A.I.A par les Etats-Unis.
16 octobre	Reconnaissance du Pavillon de l'A.I.A. par l'Allemagne.
16 décembre	Reconnaissance du Pavillon de l'A.I.A. par l'Angleterre.
1885	
5 février	Reconnaissance du Pavillon de l'A.I.A. par la France.
26 février	Avènement de l'Etat indépendant du Congo.
1890	
février	Accord Léopold-Mackinnon.
1908	Cession de l'Etat indépendant à la Belgique.

ALLEMAGNE

1884	
17 avril	Mission Nachtigal sur les côtes d'Afrique occidentale (17 avril).
22 avril	Convocation de la conférence de Berlin acceptée par Jules Ferry.
24 avril	Télégramme de Bismark établissant la protection du Reich sur l'établissement de Lüderitz.
16 octobre	L'Allemagne reconnaît le pavillon de l'A.I.A.

12 novembre à 17 décembre	Expédition de Carl Peters dans l'Ousagara.
16 décembre	L'Angleterre reconnaît le pavillon de l'A.I.A.
1885	
27 février	Protectorat allemand sur l'Ousagara.
11 août	Ultimatum à Zanzibar.
1886	Traité de partage avec l'Angleterre. Zones d'influence en Afrique orientale.
1888	Révolte de Bouschiri.
1890	
février	Expédition de Peters pour Emin Pacha.
1er juillet	Traité germano-britannique.
1891	Ligue pangermaniste.
1898	
30 août	Traité anglo-allemand sous les colonies portugaises.
1911	Accord franco-allemand (Maroc-Congo).
1914-1918	L'Allemagne perd ses colonies.

CARTE POLITIQUE DE L'AFRIQUE EN 1914

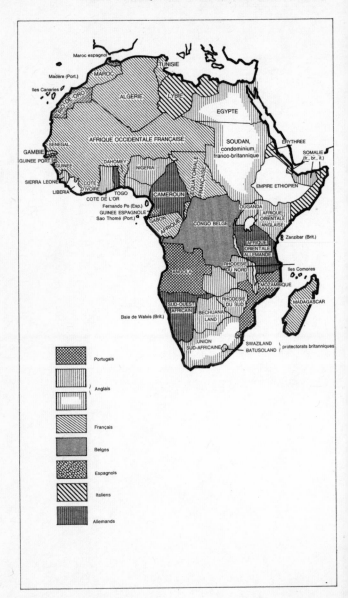

INTRODUCTION

Il y a partage d'une contrée lorsque plusieurs puissances étrangères se mettent d'accord pour la placer, entièrement ou partiellement, sous leur souveraineté. Cela suppose donc des rivalités et des négociations entre les partageants, et l'incapacité de résister de la part du partagé. Rappelons seulement, par exemple, les partages de la Pologne au XVIIIe siècle ou l'accord du 23 août 1939, par lequel Hitler et Staline disposèrent de la Pologne, des Etats baltes et de la Finlande.

De semblables conditions n'ont été que tardivement réalisées en Afrique noire. Jusqu'à la fin du XVIIIe siècle en effet, les Européens, qui en fréquentèrent les côtes, représentèrent plutôt des intérêts privés que des Etats. Leurs bateaux trouvèrent aux escales qui jalonnaient ces côtes, le ravitaillement nécessaire et les esclaves que les chefs noirs leur procuraient en échange des marchandises qu'ils souhaitaient. Les étrangers accomplissaient leurs transactions en hâte et fuyaient dès que possible la chaleur sèche ou moite, et les fièvres de régions considérées comme « le tombeau des hommes blancs ». A la fin du XVIIIe siècle, il n'y avait de souveraineté étrangère que sur quelques points de la côte de l'Angola et

du Mozambique, sous domination portugaise, dans la
Gambie britannique et au Sénégal français.

La situation n'évolua que lentement au cours des
deux premiers tiers du XIXᵉ siècle. L'esclave fut progressivement remplacé par l'huile de palme et par
divers produits de moindre importance, comme
l'ivoire, l'or ou les plumes d'autruche. Sous l'influence des humanitaristes, des missionnaires ou des
commerçants, les Anglais furent conduits à créer
des « colonies de la Couronne » en Sierra-Leone
(1807), en Gold Coast (1830-1874) à Lagos (1861).
Ils s'emparèrent également de la colonie du Cap que
les Hollandais leur abandonnèrent en 1815. C'était
une précieuse escale sur la route des Indes. Quelque
30 000 colons boers y vivaient avec autant d'esclaves
noirs importés, et une vingtaine de milliers de Hottentots plus ou moins réduits à les servir. Les Anglais
contribuèrent à renforcer le groupe blanc en envoyant
en 1817 quatre mille colons pour former une marche
contre les Cafres, nomades immigrés de l'Est, en
constantes disputes avec les Boers. Ils s'installèrent
également au Natal en 1845.

Il n'y eut de rivalité qu'avec la France. Celle-ci
n'avait aucune raison de se passionner pour l'Afrique.
Mais, les marins surtout, furent ulcérés d'avoir dû
céder la seule bonne rade de l'océan Indien, l'île de
France, que les Anglais rebaptisèrent de son premier
nom hollandais d'île Maurice. Ils cherchèrent des
compensations, d'abord en disputant aux missionnaires anglais les faveurs des Hova du plateau mal-
gache, puis en s'établissant à Nossy-Bé, aux Comores,
sur la côte Sakalave, et en élaborant un projet de
conquête de l'île à partir de la baie de Diégo-Suarez.
Le gouvernement refusa de les suivre en 1843. Il
accepta cependant, lorsque les marins suspectèrent
les Anglais de vouloir s'emparer de toutes les côtes
du golfe de Guinée, de fonder trois petites colonies,
dans l'estuaire du Gabon, ainsi qu'à Grand Bassam
et à Assinie en Côte d'Ivoire. Les Anglais ne réagirent
guère et ne s'inquiétèrent pas non plus de l'extension

sous le second empire du Gabon jusqu'à l'embouchure de l'Ogoué, ou de l'occupation temporaire de Cotonou (Dahomey). Tout cela révélait un sourcilleux souci du prestige national dans les cercles coloniaux français, mais ne correspondait à aucun intérêt économique ou culturel.

Vers 1870, les Français avaient peu contribué à l'immense œuvre d'exploration du continent; celle-ci s'était poursuivie sous l'égide des Anglais surtout. Ils avaient découvert, loin des côtes et au-delà de la ceinture forestière, difficile à pénétrer, des Etats islamisés et organisés, qui, de la boucle du Niger au Tchad, rivalisaient et commerçaient entre eux. Ils avaient reconnu les cours du Niger et du Zambèze, s'étaient attelés à la recherche des sources du Nil. Ils savaient qu'au-delà des régions basses et malsaines, des hauts plateaux et des montagnes, peu peuplées, pourraient être propices à l'établissement des blancs obligés de quitter l'Europe où ils ne trouvaient plus à subsister. Si la curiosité scientifique et la passion humanitaire avaient été, à l'origine, leurs principaux mobiles, ils avaient pris conscience des riches possibilités que l'avenir réservait au commerce, aux plantations, aux exploitations industrielles de ce continent. Le tout était d'y pénétrer aisément et de s'y maintenir.

Les diplomates, cependant, ne les y poussaient pas. Ils formaient en Europe une société bien policée d'hommes attentifs depuis leurs années d'université, à l'équilibre des grandes puissances, jalouses de celle qui chercherait à exercer une prépondérance. La partie se jouait au sein d'un concert limité jusqu'en 1871 à l'Angleterre, la France, l'Autriche-Hongrie, la Prusse et la Russie. Malgré leur opposition sur divers points du globe, où les Français s'impatientaient de la maîtrise des mers acquise par l'Angleterre, les deux puissances libérales s'efforcèrent la plupart du temps d'accorder leurs violons en face des trois autocrates. Les grandes questions sur lesquelles tous les candidats à la diplomatie firent leurs gammes furent celles de l'unité italienne, de l'unité allemande et des affaires d'Orient.

La question d'Orient était la plus difficile et se compliqua encore quand l'Italie et l'Allemagne furent unifiées. Elle comprit alors une rivalité austro-russe autour des peuples balkaniques progressivement libérés sous l'égide de l'un ou l'autre de ces empires ; une rivalité anglo-russe, quand Constantinople et les Détroits, c'est-à-dire des voies d'accès vers les Indes risquèrent de passer sous l'influence des tsars ; une rivalité franco-anglaise quand l'Egypte, autre voie d'accès, inclina vers une alliance avec la France. L'Afrique blanche, y compris le Maghreb après l'installation de la France en Algérie en 1830, entrait donc, avec la Méditerranée et le Moyen-Orient, dans l'orbite des préoccupations quotidiennes des diplomates. Le reste du Monde était marginal. Les Etats-Unis formaient une petite puissance qui absorbait la plus grande partie de l'émigration européenne. La Chine et le Japon commençaient seulement à s'ouvrir à l'Europe. L'Espagne et le Portugal étaient instables et plongés dans des difficultés financières. L'Afrique noire n'intéressait pas les diplomates. Ils n'étaient pas gênés d'en ignorer la géographie. Ils l'abandonnaient volontiers aux ministres de la Marine ou des Colonies, voire aux initiatives des autorités locales, du Cap, de Bourbon (La Réunion), du Sénégal, de la Sierra-Leone. Les traités passés par des officiers de marine qui plaçaient des chefs noirs sous la souveraineté française n'étaient pas, comme les autres actes diplomatiques, soumis aux Chambres. Un simple décret suffisait à les ratifier. Le Quai d'Orsay s'y prêtait, pour peu que cette expansion ne créât aucune difficulté avec une autre puissance. Jusque vers 1860, il ne serait venu à l'esprit d'aucun ministre des Affaires étrangères de provoquer un conflit avec l'Angleterre à cause d'un morceau d'Afrique noire. Il y avait donc, en Afrique, une sorte de théâtre d'opérations secondaires où le ministre de la Marine et les autorités coloniales jouaient les premiers rôles. Mais leurs programmes, leurs faits et gestes, étaient soumis au contrôle et à la censure des diplomates souvent ignorants et toujours dédaigneux : on ne jouait pas d'Afrique noire au concert des grandes Puissances.

CHAPITRE PREMIER

LES DÉBUTS DU PARTAGE

La situation changea au cours de la décennie de 1870 à 1880, et les conditions du partage furent alors réunies. Cela débuta par une nouvelle valorisation de l'Afrique noire, qui lui attira l'intérêt de cercles plus étendus que ceux des humanitaristes, des savants et des commerçants britanniques. La découverte imprévue du diamant au Transvaal en 1867, puis celle de l'or du Rand en 1881, et du cuivre de Rhodésie, rangèrent l'Afrique parmi les continents où, comme en Australie et en Amérique, des émigrants à l'esprit aventureux, pouvaient réaliser des fortunes fabuleuses. On citait le cas de Barnett Isaacs, petit colporteur, ou, quand les circonstances l'exigeaient, acrobate ambulant, devenu l'un des magnats du diamant et le principal associé de Cecil Rhodes dont la carrière politique se développa lorsqu'il eut fusionné dans la De Beers les principales compagnies minières. Le rush d'émigrants qui déferla sur les paysans boers, peuplant les villes-champignons de Kimberley ou de Johannesbourg, la succession des découvertes minières, réveillèrent les vieilles légendes sur la présence de l'or dans d'autres régions. Les Portugais l'avaient vainement recherché au Benguela, les Français et les Anglais savaient qu'il existait au

Soudan — des chroniques anciennes n'affirmaient-elles pas que Tombouctou en était pavée ? — les voyageurs vantaient les trésors enfouis dans les montagnes d'Abyssinie. Les explorateurs d'ailleurs témoignaient d'une curieuse tendance à peindre de vives couleurs les régions qu'ils avaient parcourues, et les géographes leur faisaient crédit. Des pays aussi déshérités que le Bahr et Ghazal, par exemple, ont été décrits, par des savants aussi réputés qu'un Elisée Reclus, dans sa *Géographie universelle* (t. V, 1885) comme « d'une rare fertilité... Cinquante millions d'habitants vivraient à l'aise dans cette contrée (1). »

Le Fouta-Djalon excitait l'appétit de candidats à une colonisation rurale, et l'on vit un petit représentant de commerce bordelais, Pierre Caquereau, lancer en 1882 une souscription publique pour fonder sous l'égide d'une « Société coopérative, scientifique, industrielle, hospitalière et maternelle de l'Afrique centrale et occidentale » une colonie française à proximité de Timbo (Fouta-Djalon). Il fut patronné par le colonel Borgnis-Desbordes, le gouverneur du Sénégal, Tallon, et même par Victor Hugo (2). Le grave Paul Leroy-Beaulieu écrivait encore en 1904 que le Sahara « nourrirait une dizaine, sinon même deux dizaines de millions d'hommes (3) ».

Ces découvertes et cet intérêt coïncidèrent avec des réalisations techniques qui semblèrent établir qu'aucun progrès ne serait impossible dans l'accès et dans la mise en valeur des pays neufs. La foi saint-simonienne et le scientisme gagnèrent l'ensemble des élites occidentales. En 1869, Ferdinand de Lesseps, devenu pour une dizaine d'année « le grand Français » par excellence, l'homme le plus décoré du monde, et l'un des bienfaiteurs de l'humanité, avait inauguré le canal de Suez devant un parterre de rois. Il n'était

1) Jean Stengers : *Une facette de la question du Haut Nil : le mirage soudanais*, J.A.H., t. X, 1969, p. 599-622.
2) Arch. nat. S.O.M. : Missions 17.
3) Paul Leroy-Beaulieu : *Le Sahara, le Soudan et les chemins de fer transsahariens*, Paris, 1904, 8º, préface.

pas ingénieur, n'avait pas poursuivi de négociations diplomatiques, ne s'était pas inféodé à un groupe financier. Sa *Compagnie universelle du canal de Suez* s'était adressée aux petits souscripteurs du monde entier, le canal qui rapprochait trois continents était neutre, et tous les pays profitèrent de l'accélération du commerce international.

La même année les Américains commencèrent la construction du premier chemin de fer transcontinental : l'*Union Corporation*, qui réunit New York à San Francisco fut achevé en 1872, et l'on scella avec des éclisses et des boulons d'or massif les rails posés par les deux équipes d'ouvriers qui se rejoignirent. En progressant à travers déserts et montagnes Rocheuses, ils avaient rejeté dans la légende et dans le roman d'aventures le Far West (1).

Les techniciens, dès lors, entrèrent en jeu, multipliant les projets hydrauliques ou ferroviaires. Le capitaine Roudaire voulut, en 1874, créer une vaste mer intérieure en déversant, par un canal, les eaux du golfe de Gabès dans les chotts du Sud tunisien, dont le fond était à un niveau inférieur à celui de la Méditerranée. Le désert en aurait été fertilisé. D'autres, plus tard, rêvèrent de canaux entre le port de Sagallo et le lac Aoussa, pour faciliter la pénétration vers le riche Choa, au cœur de l'Abyssinie, ou entre le Chari et l'Oubangui, pour unir le Soudan tchadien au bassin du Congo (2).

Le gouvernement français prit très au sérieux les projets de l'ingénieur des Ponts et Chaussées du Gard, Adolphe Duponchel, pour la construction, entre l'Algérie et la boucle du Niger, d'un chemin de fer vers ce riche Soudan qu'il qualifiait de « futures Indes françaises ». Une commission du transsaharien fut instituée en 1879 au ministère des Travaux publics.

1) Pierre Rousseau : *Histoire des Techniques et des Inventions*, Paris, nouvelle édition, 1967, p. 267.
2) Agnes Murphy : *The Ideology of French Imperialism 1871-1881*, Washington, 1948, 8°.

Trois grandes missions explorèrent le grand désert; la dernière, commandée par le colonel Flatters fut massacrée par les Touareg en 1881. Les projets se multiplièrent cependant; un ingénieur, Amédée Sébillot, rêva en 1893 d'un Transafricain; d'Alger à Ighargar dans le Sahara, d'où une première bifurcation aurait rejoint Obock, puis au Tchad, d'où une deuxième bifurcation aurait abouti à Ouiddah, enfin à Johannesbourg où la ligne aurait rejoint le chemin de fer du Cap. Les deux milliards nécessaires auraient été réunis par souscription internationale. La vitesse de 100 km/h sur voie de 2 m de large, le confort des wagons-couchettes ou salons, la sécurité assurée par les « forts mobiles », wagons blindés et armés, auraient incités les voyageurs à emprunter la ligne, entre Bombay et Londres, ou entre Paris et Ouiddah, et l'Amérique du Sud. Le gain de temps aurait été toujours supérieur à 50 %. Et l'on comptait sur 250 000 émigrants par an vers les terres nouvelles, ouvertes à la colonisation (1). Moins ambitieux, Leroy-Beaulieu pensait en 1904 qu'il fallait réaliser deux lignes, vers les deux Soudans nigérien et tchadien, et ce furent deux lignes aussi qu'envisagea le commandant Roumens en 1914 (2). Des projets de transsahariens reparurent devant la Chambre ou devant le Sénat jusqu'en 1941. Les Anglais, par ailleurs, élaborèrent dès 1876 un projet de chemin de fer du Cap au Caire (3).

Pour exploiter les mines, construire les voies ferrées ou les barrages, créer des plantations dans des pays neufs en grande partie encore inexplorés, il fallait y

1) Amédée Sébillot : *Le transafricain, les grandes lignes commerciales de la Méditerranée au golfe de Guinée et à l'océan Indien*, Paris, 1893, 8°.
2) Commandant Roumens : *L'impérialisme français et les chemins de fer transafricains*, Paris, 1914, 16°.
3) W. L. Langer : *The Diplomacy of Imperialism*, New York, 2ᵉ éd., 1950, 8°, p. 117. L. Weinthal (EJ) : *The Story of the Cape to Cairo Railway from 1887 to 1922*, Londres, 1922, 2 vol., 8°.

aller et y rester. Entre les capitaux, simples fonds de roulement des firmes de commerce, et les investissements exigés par ces travaux d'infrastructure, il y avait une différence fondamentale. La technique moderne permettait aux blancs de pénétrer en Afrique et d'y subsister. Il appartenait à la politique de leur assurer le contrôle de ces territoires et d'assumer les frais de leur acquisition.

La plupart des gouvernements européens n'étaient cependant pas disposés à s'engager dans de coûteuses expéditions de conquête. Ils cherchèrent à s'y soustraire par divers moyens qui revinrent à s'entendre entre eux pour délimiter les sphères d'influence concédés à chacun et pour les abandonner ensuite aux intéressés, à charge pour ces derniers de réaliser les indispensables investissements. Ce fut là l'origine de la colonisation moderne, opposée aux opérations de conquête et de prestige de la colonisation traditionnelle. Le moyen le plus prisé fut celui des compagnies concessionnaires.

La théorie de la colonisation moderne fut particulièrement et paradoxalement développée en France. Paradoxalement parce que la population, relativement stationnaire, n'émigrait pas, et parce que l'industrialisation, relativement lente, ne souffrait pas du manque de débouchés ou de matières premières.

La doctrine fut élaborée par Paul Leroy-Beaulieu, gendre du libre-échangiste Michel Chevalier, dans un gros livre dont il publia la première édition en 1874 à l'âge de 31 ans. « De la colonisation chez les peuples modernes » proposait une forme d'action très différente de celle des marins et des militaires assoiffés de prestige, ou des armateurs soucieux de la rentabilité immédiate des opérations côtières. Une colonisation adaptée à la France dont la population n'émigrait pas, à la République, respectueuse du droit des peuples à disposer d'eux-mêmes, et hostile à la conquête militaire; une colonisation de cadres et de capitaux, de techniciens qui enseigneraient aux indigènes les procédés modernes de mise en valeur, construiraient les routes, les voies ferrées, les barrages, introduiraient les cultures nouvelles et l'élevage rationnel. Les famines disparaîtraient, les maladies reculeraient. Les populations, progressivement instruites, s'organiseraient, jouiraient d'une autonomie interne semblable à celle du dominion britannique, auraient leurs gouvernements, leurs douanes, leurs armées, et contribueraient au prestige de la France à laquelle elles seraient associées et qui les représenterait à l'étranger. Ces idées qui se dégageaient d'une laborieuse étude de tous les systèmes coloniaux passés, furent développées, en particulier par les hauts fonctionnaires français en Indochine, par Jean de Lanessan, dans « l'Expansion coloniale de la France » (1886) et « Principes de colonisation » (1897), par Jules Harmand dans « Domination et Colonisation » (1910), et furent appliquées par Gallieni à Madagascar et par Lyautey au Maroc. Elles furent reflétées par la nouvelle génération des explorateurs en Afrique. Un Aimé Olivier de Sanderval offrait en 1881 à l'almany de Timbo dans le Fouta-Djalon, un petit train en miniature pour lui faire comprendre ce que serait la ligne qui réunirait les sources du Niger à la côte de Guinée, et pestait en 1888 contre les fonctionnaires de la colonisation traditionnelle qui entravaient l'initiative privée. « Le douanier, le percepteur, le sous-préfet doivent, dit-on, précéder le colon, et en fait, ils le précèdent et personne ne les suit... (1). » Un Binger, en 1892, concluait le récit de son voyage « du Niger au golfe de Guinée » en préconisant l'attribution de la Côte d'Ivoire à des compagnies privées plus efficientes que les bureaux. C'était là une doctrine aux aspects multiples, mais toujours séduisants par sa modernité prospective et civile, qui la distinguait de la longue et brutale conquête de l'Algérie ou des impopulaires expéditions lointaines du second Empire.

---

1) Olivier de Sanderval : *Soudan français*, Kahel. *Carnet de voyage*, Paris, 1893, 8°, p. 317.

Cela reposait aussi, hélas, sur une ignorance totale des structures sociales et mentales de ces indigènes qu'on imaginait prêts à collaborer, sur la naïve conviction que la seule civilisation était celle de l'Occident, et que les « races inférieures » ne pouvaient qu'aspirer à s'élever pour jouir aussi de ses bienfaits. Et cela supposait qu'en France industriels et banquiers étaient prêts à fournir les moyens nécessaires.

Des idées semblables se répandirent en Angleterre et dans le reste de l'Europe, à cette différence près que l'expérience économique des Anglais ou l'habileté financière de Léopold II leur donnait plus de réalité. Le commerce de l'huile de palme était assez prospère pour inciter à créer des plantations. Les mines du Transvaal fournissaient sur place des capitaux ou des garanties solides, sans qu'il fût nécessaire de faire appel à l'Etat. On s'inspirait volontiers de l'exemple donné par l'exploitation rationnelle de l'Insulinde par les Hollandais, sans pour autant s'inquiéter du sort réservé aux indigènes, qui étaient loin d'être considérés comme des collaborateurs à part entière.

Ces idées, qui, sous des formes diverses et avec des variantes, dominèrent toute la période impérialiste, furent, en France, renforcées par le désastre de 1871. La honte, l'indignation, le remords d'avoir abandonné les frères alsaciens et lorrains gagnèrent tous les esprits. Jamais peut-être ce patriotisme foncier, plus profond et plus authentique que les querelles politiques ou religieuses, que les conditions économiques ou les luttes de classes, n'avait été aussi unanime. Tous les Français détestaient les Allemands. Tous souhaitaient compenser la défaite, prouver au monde que la France, selon la réponse de Gambetta au billet de Jules Ferry qui lui annonçait le protectorat sur la Tunisie, « reprenait son rang de grande puissance ». Elle ne pouvait pas le regagner en Europe. C'est pourquoi l'opinion publique, qui n'avait jamais été sensible aux expéditions coloniales, qui préférait peut-être la colonisation moderne à la conquête militaire traditionnelle, bien que celle-ci prouvât, après la défaite de 1871, que l'armée française était encore capable de victoires, approuva le coloriage en mauve de vastes régions du globe.

Les militaires en prirent l'initiative. Solidement installés au Sénégal, ils s'inspirèrent parfois des idées nouvelles. Les projets des techniciens ont précédé la conquête du Soudan (1). Mais ils se méfiaient des nouveaux venus dont l'activité brouillonne dérangeait leurs plans et dont la prétention de donner, eux aussi, sans en avoir reçu mission, des provinces nouvelles à la France, les indisposait. Brière de Lisle, gouverneur du Sénégal, fit rapatrier en 1881 Paul Soleillet, protagoniste du transsaharien, auquel il avait d'abord confié une mission auprès du sultan toucouleur de Ségou. Et le commandant supérieur du Haut Sénégal, Boilève, s'indigna en 1884 que le docteur Colin, envoyé par le ministre pour prospecter le Bouré (Soudan) et y conclure des conventions commerciales, eût passé avec les chefs du Tambaoura et du Diebedougou (entre la Falémé et le Bafing) des traités de protectorat (2). L'Afrique occidentale, en fait, resta l'apanage des militaires et ce fut dans une région où ils n'étaient pas installés, au Congo, que les civils purent tenter l'expérience de la colonisation moderne.

Le partage débuta par la rivalité entre les deux gouverneurs du Sénégal et de la Sierra-Leone. Faidherbe s'était intéressé aux « Rivières du Sud », sur la côte de Guinée, d'où l'on pouvait gagner le Fouta-Djalon et les sources du Niger et de son affluent le Tinkisso. Son successeur, Pinet-Laprade, avait fondé sur la côte les trois postes français de Boké, Boffa et Benty. Le conflit s'engagea près de Benty, dans

---

1) Henri Brunschwig : « Note sur les technocrates de l'impérialisme français en Afrique noire », *Revue française d'Histoire d'outre-mer*, t. LIV, 1967, p. 171-187.
2) Arch. Dakar 1 G. 65, et Arch. nat. S.O.M., Missions 2.

l'estuaire de la Mellacorée, où le chef local, Bokhary,
traitait tour à tour avec les deux rivaux. Brière fit
occuper en mars 1877 l'île de Matacong, où Rowe
voulait installer un poste de douanes. Cependant les
deux ministres des Affaires étrangères, Waddington
et Salisbury, qui avaient collaboré au Congrès de
Berlin en 1878, et organisaient ensemble le condomi-
nium financier en Egypte, convinrent d'un partage
à l'amiable. Brière fut obligé d'évacuer Matacong.
Une commission mixte fut nommée en 1881 pour
tracer la frontière nord de la Sierra-Leone et les
deux gouverneurs furent rappelés (1) : les Rivières
du Sud ne valaient pas le sacrifice de la collaboration
diplomatique franco-britannique. Brière, cependant,
arrêté en Guinée, s'orienta vers la deuxième voie
indiquée par Faidherbe. Il utilisa Soleillet pour
reprendre les relations avec Ségou, hésitant entre une
politique d'alliance avec le sultan Ahmadou, ou de
protection des populations bambara soumises par
El Hadj Omar, père d'Ahmadou, entre Sénégal et
Niger, et impatientes de secouer le joug toucouleur.

Nous n'insisterons pas sur le détail des opérations
qui permirent aux militaires français de grignoter
le Soudan occidental entre 1880 et 1898. Les commandants supérieurs, Borgnis-Desbordes, Boilève,
Combes, Frey, Gallieni, Archinard, Humbert, furent
servis par les rivalités entre Africains. Ahmadou était
en butte, non seulement aux révoltes de ses officiers
et de ses sujets, mais à la tentative du prophète
Mamadou Lamine qui tenta de créer un état sarakollé en Sénégambie (1884-1887), et surtout à celle
d'un jeune marchand malinké, islamisé, Samory.
Celui-ci, après s'être emparé de Kankan dès 1879
sut créer et organiser un grand empire, qui évoquait
le Mali du Moyen Age. Mais quand les Français se
furent emparés de Ségou en 1890, leurs campagnes
annuelles furent essentiellement dirigées contre
Samory qui succomba en 1898.

1) Hargreaves, *op. cit.*, 214 sq.

Au cours de ces vingt ans, les militaires du Soudan imposèrent leur politique de conquête aussi bien aux Africains qu'au gouvernement français, qui aurait préféré une pénétration pacifique. Ils n'hésitèrent pas à engager des opérations malgré les instructions qui le leur interdisaient. Borgnis-Desbordes, par exemple, s'empara par surprise en décembre 1882 de Mourgoula, dont l'émir, Abdallah, était ami de la France, et que le ministre de la Marine, Jauréguiberry, avait explicitement ordonné de ménager. Archinard, de même, en 1889, prit Koundian, dont le traité de protectorat, signé l'année précédente par Gallieni avec Aguibou de Dinguiraye, reconnaissait la souveraineté de ce dernier : mais le lieutenant-colonel Archinard avait besoin d'un succès pour être inscrit au tableau d'avancement. Les militaires, supérieurement armés, pratiquaient cependant les méthodes africaines : la colonne annuelle de soldats, suivis de troupeaux, de femmes et des esclaves recrutés parmi les prisonniers que l'on se partageait et qui étaient revendus par les miliciens. Ils vécurent en partie sur le pays, au grand dam des paysans noirs, tour à tour razziés par l'une ou l'autre armée.

Comme il n'y avait pas de rival européen dans la région, la conquête n'inquiéta pas les diplomates du quai d'Orsay, et put se poursuivre, alors que le Congo et l'Afrique centrale mettaient les chancelleries aux prises.

Le Parlement, qui votait chaque année le budget des colonies, ne se fit pas faute de critiquer la mégalomanie des militaires du Soudan. Mais, souvent placé comme le ministère devant le fait accompli, mal renseigné, et en dernière analyse, pour la majorité, peu passionné par l'Afrique noire, il passait à l'ordre du jour (1). Il est remarquable que des nombreuses interpellations qui révélèrent des abus scandaleux,

1) A. S. Kanya-Forstner : *The conquest of the Western Sudan*. A study in French military Imperialism, Cambridge, 1969, 8°.

aucune, à la seule exception de la crise tunisienne de 1881 et de l'affaire de Lang-son en 1884, ne mit le gouvernement en danger. Les députés votaient en réalité sur la question de politique intérieure du moment, sur le boulangisme, l'affaire Dreyfus, la séparation de l'Eglise et de l'Etat, plutôt que sur la politique africaine. Ils savaient comment ils voteraient avant le début de la séance. Ceux même qui restèrent constamment hostiles à l'expansion coloniale, un Camille Pelletan, par exemple, jusqu'au jour où il devint ministre de la Marine (1902-1905), ne le firent savoir qu'occasionnellement. Ils ne poursuivaient pas leur activité anticoloniale après la séance, et retournaient à leur souci principal, à leur passion anticléricale ou à leur nationalisme antigermanique. Tant il est vrai que l'empire français d'Afrique noire a été conquis ou acquis parmi, non l'hostilité, mais l'indifférence de la plus grande partie de l'opinion publique.

CHAPITRE II

L'ENGRENAGE DU CONGO

Ce fut la découverte du Congo qui mit subitement aux prises un grand nombre de copartageants. Rien n'était plus inattendu, car aucun gouvernement ne se souciait, vers 1870, de ce vaste bassin d'accès difficile. Les bateaux ne remontaient pas au-delà de l'estuaire, à cause des nombreux rapides qui encombraient le fleuve. Les tribus côtières, en relations avec les factoreries installées dans l'estuaire ou sur les bords de l'Atlantique, tant en Angola qu'à Kabinda ou à Landana, défendaient leur monopole et s'opposaient à la pénétration des blancs vers l'intérieur. A plusieurs reprises des explorateurs, le marquis de Compiègne, le naturaliste Marche, le géographe Lenz, avaient ainsi été arrêtés sur l'Ogoué. Ce commerce d'ailleurs n'avait rien de particulièrement attrayant : De l'ivoire, de l'huile, ou un peu de caoutchouc.

Les savants européens s'intéressaient, comme Livingstone, aux sources du Nil. Le grand explorateur, médecin et missionnaire, qui séjournait depuis plusieurs années dans la région des grands lacs, croyait les trouver dans un fleuve qui coulait du S. au N., à l'est du lac Tanganyika, et que les indigènes appelaient Loualaba. Cameron, envoyé aux nouvelles en 1873, apprit, à Tabora, la mort de Livingstone,

dont il vit encore le cadavre, et poursuivit son
voyage en contournant le bassin par le sud. Le problème du Louabala restait entier; et les deux quotidiens, le *Daily Telegraph* de Londres et le *New York
Herald*, qui réunirent les fonds pour charger le meilleur reporter de l'époque, Henry Morton Stanley,
de le résoudre, ne pensaient assurément pas s'aven-
turer dans la politique. Stanley, richement pourvu,
organisa son expédition à Zanzibar, qu'il quitta en
mars 1874. Il longea le fleuve au cours d'un périple
mémorable de trois années « *A travers l'Afrique
mystérieuse* », et arriva en août 1877 à Boma. On savait
dès lors l'Afrique centrale aisément accessible par
l'est, le Congo navigable entre les *Stanley Falls* et les
rapides en aval du *Stanley Pool*, les populations
diverses parfois en butte aux razzias d'esclaves. Rien
n'incitait spécialement des colons à s'établir dans
ces régions.

Un jeune officier français, l'enseigne de vaisseau
Pierre de Brazza-Savorgnan, qui avait été admis au
Borda à titre étranger, et dont la naturalisation devait
intervenir après sa majorité, sollicita vers la même
époque, une mission d'exploration sur l'Ogoué.
Les bureaux de la Marine n'avaient aucune raison
de s'y intéresser. Ils songeaient plutôt à évacuer le
Gabon, peu rentable et dépourvu de valeur straté-
gique. Mais le ministre de la Marine, l'amiral de
Montaignac, était un ami des Brazza. Il imposa son
protégé qui partit en août 1875 avec deux compagnons
blancs, le docteur Ballay et le quartier-maître Hamon,
et un crédit de 10 000 francs prévu pour une exploration de six mois. Il resta trois ans absent, ne regagna
Bordeaux qu'en janvier 1879, après avoir dépensé
40 000 francs dont plus de la moitié fut acquittée sur
sa fortune personnelle. Il avait réussi, sans violences,
à amadouer les tribus courtières de l'Ogoué, à par-
courir le plateau batéké entre les sources de l'Ogoué
et un fleuve qui coulait vers le sud, et que les croquis de Stanley permirent d'identifier comme
l'Alima, affluent du Congo en amont du Pool. Il y

avait donc une voie d'accès relativement aisée de l'Atlantique vers le Pool, à partir duquel l'immense bassin était navigable. Et cette voie dotait le Gabon d'un arrière-pays riche et varié, où l'explorateur avait constaté l'existence d'un commerce d'ivoire, de manioc et de poisson fumé, où, dans un lointain avenir, on pouvait certes imaginer des plantations, voire même des mines de cuivre, si les colliers et bracelets des noirs n'étaient pas importés ; il y avait d'importants résultats scientifiques, qui permirent aux Français de mettre enfin en ligne un brillant explorateur de la classe internationale ; mais rien de nature à entreprendre une coûteuse action politique pour la possession de territoires qu'aucun rival ne revendiquait.

Et ce fut bel et bien Léopold II qui, tout en s'en défendant, introduisit la politique au Congo. Le roi des Belges était un homme d'affaires, habile à gérer une grosse fortune personnelle. Passionné de géographie, il se tenait au courant de toutes les explorations sur tous les continents. En relations avec les personnalités des milieux humanitaires, commerçants et scientifiques du monde, il partageait les convictions des représentants de la colonisation moderne et doutait de l'avenir du libre-échangisme auquel les Belges étaient attachés. Il rêvait d'utiliser sa fortune à la mise en valeur d'un pays neuf, et, après diverses tentatives aux Philippines et au Transvaal, jeta son dévolu sur cette Afrique centrale que Cameron avait traversée.

En septembre 1876, dans le sillage de l'idéologie humanitaire, ce mécène réunit dans son palais de Bruxelles une conférence internationale de géographie. Le but en était « d'ouvrir à la civilisation la seule partie de notre globe où elle n'ait point encore pénétré... de conférer en vue de régler la marche, de combiner les efforts, de tirer parti de toutes les ressources, d'éviter les doubles emplois ».

Les explorateurs présents et les représentants des grandes sociétés de géographie des divers pays s'accordèrent pour fonder une *Association Internationale Africaine*. Des comités nationaux réuniraient les fonds pour créer, à partir de bases d'opération sur la côte de Zanzibar ou près de l'embouchure du Congo, des stations hospitalières, scientifiques et pacificatrices, en vue d'abolir l'esclavage, d'établir la concorde entre les chefs. Chaque comité national déléguerait deux membres à une commission internationale qui coifferait l'ensemble et qui désignerait chaque année trois ou quatre membres d'un comité exécutif pour diriger les travaux et gérer les fonds communs. Le président, fonction que Léopold accepta modestement pour un an, serait assisté d'un secrétaire général, qui fut d'abord le baron Greindl, puis le colonel Strauch. La commission internationale, à laquelle dix-huit comités nationaux furent représentés en 1877, choisit au cours de cette session le drapeau de l'association, une étoile d'or sur fond bleu.

Sur ces entrefaites Stanley, puis Brazza rentrèrent en Europe, et Léopold leur proposa de collaborer à son œuvre. Brazza craignant de voir l'arrière-pays du Gabon échapper à la France refusa. Stanley accepta, sans beaucoup s'inquiéter de voir le roi fonder alors une deuxième association internationale, le *Comité d'Etudes du Haut-Congo*, dont les souscripteurs envisageaient, outre le but philanthropique, une prospection commerciale. Ce comité fut en fait dominé par le roi qui fournit la plupart des capitaux et qui envoya ses instructions à Stanley. Celui-ci, qui était allé recruter ses miliciens à Zanzibar, les reçut lors de son passage à Gibraltar en septembre 1879. Elles lui prescrivaient d'ériger trois stations politiquement indépendantes, ou de créer des Etats nègres sous la suzeraineté du comité : « Lorsque les trois stations seront fondées, il y aura moyen de les constituer en un Etat libre, auquel viendraient se joindre les stations à fonder plus tard au-delà des limites sur le Congo.

Cette constitution en un Etat libre est nécessaire

pour donner de la légalité à l'entreprise... Un Etat libre, surtout modeste à son origine, ne suscitera la jalousie d'aucun pays... Fondé au moyen des ressources du Comité du Congo, cet Etat lui demandera naturellement de lui désigner ses lois, son chef, son délégué en Afrique et permettra ainsi au Comité d'assurer la prospérité et le développement de son œuvre. Les statuts du Comité portent qu'il veut fonder deux sociétés, une de transport, l'autre de commerce...

Le roi, comme particulier, ne veut posséder que des propriétés en Afrique. La Belgique ne veut ni colonies, ni territoires. Il faut donc que M. Stanley achète ou se fasse concéder des territoires, y attire des indigènes et fasse proclamer l'indépendance de ces agglomérations sous la réserve du bon plaisir du Comité (1). »

Cela ne signifiait pas l'établissement d'une souveraineté étrangère, puisque le roi n'agissait pas en tant que chef de l'Etat belge. Mais cela créait en Afrique un Etat africain de type nouveau, dont le chef serait le Comité, c'est-à-dire Léopold. L'invocation, dans la même note, de l'exemple de James Brooke, simple citoyen anglais devenu souverain du Sarawak, à Bornéo, exprime clairement le rêve de Léopold : Cumuler avec son titre de roi des Belges celui de souverain d'un Etat nègre.

L'obstacle à craindre était que Brazza et le docteur Ballay, dont la fin de ce texte prévoyait le retour en Afrique, agissent officiellement au nom d'une grande puissance et annexent le Congo à la France, comme les Anglais avaient fait du Transvaal au moment où Léopold y négociait un accord en 1877.

De fait, Brazza n'eut de cesse qu'il n'obtînt du Comité français de l'A.I.A., les ressources nécessaires pour retourner en Afrique. Il ne cacha ses intentions, ni à Lesseps, président du Comité, ni aux membres

---

1) A. Roeykens : *Les débuts de l'œuvre africaine de Léopold II, 1876-1879*, Bruxelles, 1954, p. 397.

de la société de géographie appelés à soutenir son
projet. Chargé d'installer une station hospitalière,
scientifique et pacificatrice sur le haut Ogoué, il
choisit en mars 1800, Franceville, sur la Passa, puis
de sa propre initiative, et bien qu'il n'en eût pas reçu
mission, il poursuivit son voyage vers le Pool et passa
le 10 septembre 1880 avec Makoko, le chef des
Batéké un traité :

« Le roi Makoko, qui a la souveraineté du pays
situé entre les sources et l'embouchure de Lefini à
Ncouna... fait... cession de son territoire à la France,
à laquelle il fait cession de ses droits héréditaires de
suprématie..., désirant, en signe de cette cession,
arborer les couleurs de la France, je lui ai remis un
pavillon français, et, par le présent document, fait en
double et revêtu de son signe et de ma signature,
donné acte des mesures qu'il a prises à mon égard,
en me considérant comme le représentant du Gouvernement français. »

Un deuxième acte, signé le 3 octobre, délimita le
périmètre du territoire cédé sur le Pool pour y installer
une station française, puis Brazza regagna le Gabon,
sans parler à Stanley qu'il rencontra au passage, à
Vivi, de ces traités.

L'affaire s'ébruita cependant quand des missionnaires anglais, puis Stanley lui-même, se heurtèrent
au milicien sénégalais, Malamine, laissé par Brazza
à la garde du pavillon.

Le gouvernement, poussé par les correspondants de
Brazza parmi les membres de la société de géographie,
allait-il ratifier ? L'amiral Jauréguiberry, ministre de
la Marine, qui n'aimait pas se voir dicter sa politique
par de petits jeunes gens irresponsables, y était hostile. Au quai d'Orsay, dont l'ambassadeur d'Angleterre sollicitait des éclaircissements, on ne se faisait
pas d'illusions sur le médiocre intérêt économique
du Congo. Mais depuis le départ de Brazza des
remous avaient agité le cours de la politique extérieure. L'établissement du protectorat français en
Tunisie, suivi d'une campagne relativement meur-

trière avait obligé Jules Ferry à démissionner en
1881. L'année suivante, les troubles provoqués par
les nationalistes égyptiens contre le contrôle financier
franco-britannique, avait menacé la vie des Européens. Les Anglais avaient proposé à la France une
démonstration commune et la Chambre en avait
refusé les crédits à Freycinet. L'Angleterre avait
seule bombardé Alexandrie, débarqué des troupes,
battu les insurgés et occupé l'Egypte, dont la France
se trouvait éliminée. Freycinet était tombé. Son successeur, Duclerc, craignait de se voir reprocher une
nouvelle abstention. Au reste, on ne se heurtait, au
Congo, à aucune puissance européenne. Le comité
du Haut-Congo n'était pas un Etat de droit public.
Les efforts de Léopold pour empêcher la ratification,
les maladresses de Stanley, ironisant dans une conférence faite à Paris, sur les initiatives de Brazza et sur
les haillons de Malamine, la lettre par laquelle le roi
adjurait Lesseps de sauver le caractère humanitaire
de l'A.I.A., en évitant « l'installation de la politique
au Congo », augmentèrent la popularité de l'explorateur. La création d'Etats noirs sous l'égide du Comité, mais dans une acception européenne et nullement africaine du terme d'Etat, n'y avait-elle d'ailleurs
pas déjà « installé la politique » ?

Duclerc résolut alors de monter en épingle ce succès
que les circonstances lui offraient. Rompant avec la
tradition de la ratification par simple décret des
traités avec les chefs noirs, il soumit aux Chambres
la ratification solennelle du traité Makoko. Acquise
à l'unanimité le 22 novembre 1882, elle fut suivie de
l'envoi du lieutenant de vaisseau Cordier à Loango
et à Pointe Noire. Il y établit le protectorat français
sur la côte à l'embouchure du Kouilou. Au cours
de son voyage de retour Brazza, en effet, avait découvert, par le Kouilou et le Niari, une voie d'accès au
Pool plus courte que celle de l'Ogoué.

Brazza retourna au Congo, avec le titre de « Com-
missaire de la République dans l'Ouest africain ».
Doté d'un budget confortable de 1 275 000 frs,

il poursuivit l'exploration et s'efforça d'étendre la domination française.

Le bruit fait autour de cette affaire attira sur l'Afrique centrale, en grande partie encore inexplorée, l'attention des diplomates. Léopold risquait de voir ses stations « englobées » dans un territoire placé sous une souveraineté européenne. Dès lors il pressa Stanley de donner la priorité à l'organisation d'Etats noirs sur celle des sociétés de transport et de commerce également prévues par ces instructions. A l'incitation de l'ancien ministre des Etats-Unis à Bruxelles, Sanford, qui était devenu membre du Comité exécutif de l'A.I.A., et qui avait regagné son pays, il s'efforça d'obtenir une reconnaissance officielle du pavillon de l'A.I.A., devenu Association Internationale du Congo, « à l'égal d'un pavillon ami ». Le Sénat américain s'y résolut le 22 avril 1884.

Le Portugal, d'autre part, s'inquiéta. Installé en Angola, il invoquait des droits de priorité historiques sur l'embouchure du Congo découverte par ses navigateurs au XVe siècle et dominée par son allié, le Royaume du Congo, au XVIe et au XVIIe. En septembre 1883, il occupa Landana, entre Pointe Noire et l'estuaire, où la mission catholique française du Père Duparquet était particulièrement active. Puis, trop faible pour imposer seul la reconnaissance de ses prétentions, il mit fin à un long conflit qui l'opposait à l'Angleterre sur les limites de son établissement du Mozambique, et obtint en échange, par le traité du 26 février 1884 la reconnaissance par l'Angleterre de sa souveraineté sur les rives de l'estuaire et sur les côtes atlantiques au nord et au sud de l'embouchure. Les protestations de Banning, agent de Léopold, mais aussi de missionnaires protestants et de commerçants anglais, firent renoncer le gouvernement britannique à soumettre le traité à la ratification du Parlement.

Bismarck intervint alors. Il s'était toujours montré hostile aux armateurs allemands qui souhaitaient l'acquisition de colonies. Son propos était de sauvegarder l'Empire qu'il avait unifié en 1871. Diplomate, il était devenu le chef d'orchestre du concert européen. Son système consistait à entretenir de bonnes relations avec toutes les puissances, en attisant les rivalités qui pouvaient opposer ces dernières entre elles. Il avait réussi à se réconcilier avec l'Autriche et à conserver l'amitié des Russes, malgré leur concurrence avec l'Autriche dans les Balkans. Il était l'allié de l'Italie, qui revendiquait le Tyrol et le Trentin autrichiens. L'Italie et la France étaient en mauvais termes depuis l'installation de la France en Tunisie. L'Angleterre et la Russie rivalisaient en Perse et en Afghanistan. L'affaire d'Egypte avait mis fin à la traditionnelle collaboration de la France et de l'Angleterre. Le moment semblait venu de tenter un rapprochement avec la France, isolée, d'encourager ses visées coloniales pour la détourner de la revanche en Alsace-Lorraine. Rapprochement spectaculaire, quand Jules Ferry accepta que les deux puissances convoquent ensemble une conférence internationale sur l'Afrique centrale. L'ordre du jour, accepté par le Foreign Office prévoyait trois points :

1) Liberté du commerce dans le bassin et les embouchures du Congo.

2) Application au Congo et au Niger des principes adoptés par le Congrès de Vienne en vue de consacrer la liberté de navigation sur plusieurs fleuves internationaux, principes appliqués plus tard au Danube.

3) Définition des formalités à observer pour que des occupations nouvelles sur les côtes d'Afrique soient considérés comme effectives.

Il n'y avait là rien de révolutionnaire. On ne parlait pas de partager l'Afrique, mais plutôt d'assurer la continuation du libre-échange traditionnel sur ses côtes et sur ses grands fleuves. La démarche de

---

1) Jean Stengers : « Léopold II et la fixation des frontières du Congo », *Le Flambeau*, mars-avril 1963, p. 153-197.
— « Léopold II et la rivalité franco-anglaise en Afrique, 1882-1884. » *Revue belge de philosophie et d'histoire*, t. XLVII, 1969, n° 2, p. 426-479.

Bismarck ressortissait plus à la politique extérieure des Etats européens, entre lesquels il voulait jouer un rôle d'arbitre, qu'à leurs politiques coloniales. Mais ce n'était pas moins la première fois que l'Afrique faisait l'objet d'une conférence internationale. Bismark lui fit quitter la petite scène, où marins et colons s'agitaient sous le contrôle un peu dédaigneux de leurs gouvernements, pour l'introduire sur le grand théâtre de la diplomatie internationale.

CHAPITRE III

LA CONFÉRENCE DE BERLIN

I. — PRÉPARATION

On a beaucoup discuté sur les raisons qui incitèrent Bismarck à pratiquer une politique coloniale. Il aurait, en effet, pu réaliser ses projets de politique extérieure, collaborer avec la France et présider la conférence de Berlin sans, préalablement, acquérir à l'Allemagne des droits de souveraineté en Afrique. Rien dans son activité passée ne l'avait orienté vers l'expansion coloniale. Chaque fois que des explorateurs ou des armateurs hanséates lui avaient soumis des projets d'intervention outre-mer, il les avait rejetés. L'adoption, sous son égide, d'un tarif protectionniste en décembre 1878 devait favoriser les hobereaux prussiens, producteurs de grains et de bois, ainsi que la jeune industrie de la Ruhr. Les représentants des villes hanséatiques, favorables au libre-échange et à la colonisation y étaient hostiles.

Des considérations de politique intérieure ont été invoquées pour expliquer le revirement du chancelier en 1884. Il est certain que les progrès des libéraux aux élections de 1881 et de 1884 l'inquiétaient. Leurs chefs, Lasker, Benningsen, Richter, souhaitaient introduire en Allemagne un régime parlementaire de type britannique, que le prince héritier, Frédéric, gendre de la reine Victoria, eut approuvé. Le chancelier cherchait au centre et à droite une nouvelle majorité que la passion nationaliste, anti-anglaise, pouvait cimenter.

Des occasions de rivalités existaient. Bismarck choisit finalement celle créée par l'établissement d'un armateur brémois, Adolphe Lüderitz, dans la baie d'Angra-Pequeña. Les Anglais du Cap occupaient la côte jusqu'à l'Orange et s'étaient installés plus au nord, à Walvis Bay, en 1878. Ils ne s'étaient cependant pas engagés à protéger les missionnaires allemands de la Société de Barmen, entre *Walvis Bay* et l'Orange, comme Bismarck le leur avait demandé en 1880. Cette prudence s'expliquait par les guerres que se livraient dans l'arrière-pays les Namas (hottentots) et les Herreros. Lüderitz acquit sa concession du chef hottentot, Joseph Fredericks, en mai 1883 et, de nouveau, Bismarck demanda au gouvernement britannique s'il était disposé à « étendre éventuellement sa protection efficace aux colons de cette région ». En dépit d'une protestation du Cap aux prétentions de Lüderitz, le gouvernement britannique tarda à prendre position et Bismarck lui-même, peu désireux de voir le Reich entraîné à des guerres contre les Hottentots ou les Herreros, se contenta de laisser l'affaire ouverte, en demandant au Foreign Office le 31 décembre 1883 de préciser sa position.

Ce fut sans doute le mémoire que le conseiller intime de légation aux Affaires étrangères Henri de Kusserow lui fit parvenir le 8 avril 1884 qui le décida. L'auteur y faisait remarquer que l'on pouvait acquérir des colonies sans grever lourdement le budget de l'Etat. Ce dernier se contenterait d'affirmer sa souveraineté, pour empêcher d'autres puissances d'intervenir ; puis il la déléguerait par une charte à des compagnies privées, qui se chargeraient de l'occupation, de l'administration et de la mise en valeur du territoire. Les Anglais avaient ressuscité ce système dans le nord de Bornéo en 1881. La charte accordée à la compagnie pour une durée précise, était résiliable et assortie d'un cahier de charges qui obligeait la compagnie à respecter les droits des indigènes et à procéder à certains travaux d'infrastructure. Bref, comme le chancelier l'expliqua au Reichstag le 26 juin :

« Mon intention, conforme à celle de S. M. l'empereur, est de laisser à l'activité et à l'esprit d'entreprise de ceux de nos concitoyens qui vont faire du commerce au-delà des mers la responsabilité entière de la fondation et du développement matériel de la colonie. Je compte moins me servir de la forme de l'annexion de provinces d'outre-mer à l'Empire allemand, que délivrer des lettres de franchise semblables aux chartes royales anglaises... Je pense aussi que l'on pourrait très bien se contenter d'un seul représentant de l'autorité impériale, qui s'appellerait consul ou résident... Notre intention n'est pas de créer des provinces, mais de prendre sous notre protection des entreprises commerciales, et des entreprises qui, dans leur plein développement, finissent par acquérir la souveraineté; une souveraineté commerciale, en somme, appuyée sur le Reich allemand et placée sous sa protection. Nous la protégerons aussi bien contre les attaques de voisins immédiats que contre les vexations venant d'autres nations européennes... » (1).

Après avoir médité le rapport de Kusserow et pris sa décision, le chancelier agit rapidement : le 17 avril, il chargea l'explorateur Nachtigal, qui était consul à Tunis et membre du Comité excécutif de l'A.I.A., de s'embarquer sur la canonnière « La Mouette » pour aller inspecter les factories créées par des Allemands sur la côte occidentale d'Afrique, et pour négocier des accords plaçant sous la protection du Reich celles qui ne se trouvaient pas sur une côte déjà occupée par une autre puissance. La France

1) « Reichsanzeiger » du 27 juin 1884. Decharmes, P. : *La colonisation allemande*, Paris, s.d., 16º, p. 46.

ayant été avertie, il n'y eut pas de conflit lorsque Nachtigal, par erreur, voulut installer l'Allemagne à Dubreka, dans les Rivières du Sud. Ce dernier fut ensuite bien accueilli au Togo, où prospéraient les comptoirs des frères Vietor, missionnaires et commerçants. A Douala (Cameroun), Nachtigal précéda de justesse le commodore Hewett, qui voulait placer les chefs locaux sous la souveraineté britannique. Il se rendit ensuite dans la baie d'Angra-Pequeña auprès de Lüderitz déjà rassuré par le télégramme du 24 avril, par lequel le chancelier avertissait le consul allemand du Cap que les établissements du sieur Lüderitz se trouvaient désormais sous la protection du Reich. Le pavillon allemand fut ainsi hissé sur les colonies de l'Afrique atlantique, entre juillet et octobre 1884, par Nachtigal, qui mourut en mer au retour de l'expédition.

Près de sept mois s'écoulèrent entre l'acceptation de Jules Ferry (22 avril) et l'ouverture de la conférence. Il fallut en effet obtenir l'accord de lord Granville, secrétaire d'Etat au Foreign Office, et s'entendre sur la liste des 14 puissances à inviter. On s'adressa aux signataires du traité de Vienne, puisqu'on prétendait s'inspirer de sa réglementation sur la navigation du Danube, et on y ajouta les nouveaux intéressés, Belgique, Italie, Etats-Unis, Turquie. Ce délai ne fut pas seulement utilisé par Bismarck. Léopold aussi aurait voulu obtenir la reconnaissance de toutes les Puissances avant l'ouverture de la conférence; il n'y parvint pas, et continua de négocier en marge de celle-ci. Dès le lendemain de la reconnaissance du pavillon de l'A.I.A., par les Etats-Unis, Léopold tenta d'amadouer Jules Ferry en lui offrant un droit de préemption au cas où l'Association renoncerait à son entreprise. C'était faire bon marché de l'indignation des Anglais, dont une souveraineté française sur l'ensemble du Congo aurait gêné le commerce et dont, plus tard, l'hostilité à l'extension de l'Etat Indépendant vers le Soudan oriental, s'expliquera par cette menace de préemption. Surpris et intéressé — car il ne croyait pas que l'Association réussirait à organiser un domaine aussi vaste — Jules Ferry ne céda cependant pas tout de suite; la délimitation des territoires respectifs posait des problèmes d'autant plus ardus que l'exploration, dans le haut Oubangui, n'était pas achevée, et que dans la région du Kouilou et du Niari, les postes français et les stations de l'Association se succédaient, permettant à chacun de revendiquer le territoire. Bismarck cependant accepta de reconnaître le pavillon de l'A.I.A., le 16 octobre et n'objecta pas, le 8 novembre au croquis que Léopold lui soumit; le futur Etat Indépendant y comprenait tout le bassin au sud de l'Oubangui, à l'exclusion du Katanga et des territoires dépendant du sultan de Zanzibar. L'essentiel pour lui, était la promesse du libre échange.

Les débats de la conférence traînèrent, pour permettre à Léopold de poursuivre ses négociations avant leur conclusion : l'Angleterre lui donna son accord de principe le 16 décembre sans précision des limites. Puis le 24 décembre, Léopold adressa une deuxième carte à Bismarck; elle incluait le Katanga, dont on ignorait les ressources minières. Le chancelier ne réagit pas, et les fonctionnaires du Foreign Office, en l'absence de leur chef qu'ils croyaient averti, ratifièrent par erreur (1). Ferry voyait sans déplaisir s'arrondir le domaine de la préemption, mais ne donna son accord, le 5 février 1885, que lorsque Léopold eût renoncé au Kouilou-Niari. Bien que ses géographes et Brazza lui-même se fussent trompés, la France obtiendra aussi, par un accord de délimitation en 1887, la frontière qu'elle revendiquait sur le haut Oubangui; mais elle admettra en échange que son droit de préemption ne joue pas au cas où l'Association céderait ses droits à l'Etat belge.

1) Cf. ci-dessous : « Problèmes et controverses. »

II. — LA CONFÉRENCE (15 NOVEMBRE 1884 A 26 FÉVRIER 1885)

La conférence (1) fut ouverte le samedi 15 novembre à 14 heures par le prince de Bismarck siégeant au sommet d'une table en fer à cheval. La grande carte de l'Afrique de Kiepert était accrochée en face de lui. Il reparut à la séance de clôture; les huit autres réunions qui s'échelonnèrent, toujours l'après-midi, entre 14 heures 30 et 17 heures environ, furent présidées d'abord par le comte de Hatzfeld, puis par le conseiller intime Busch : la Wilhelmstrasse régentait la politique mondiale. On ne rappellera jamais trop que la conférence de Berlin s'inscrit dans le cadre de l'histoire des relations internationales. L'Afrique n'y était qu'un enjeu plus ou moins convoité dans cette partie arbitrée par Bismarck, et la plupart des quatorze puissances représentées ne jugèrent pas utile d'y envoyer leurs meilleurs joueurs : elles se firent simplement représenter par leurs ambassadeurs. Parmi celles qui leur adjoignirent des spécialistes, les Etats-Unis jouèrent un rôle important : ils déléguèrent en effet au ministre plénipotentiaire Kasson, parfaitement incompétent, son prédécesseur Sanford, qui fit appel à Stanley comme expert. Léopold II disposa ainsi des voix américaines en plus de celles des Belges; il préféra en général s'exprimer par le truchement des Américains.

En dehors des séances plénières, des commissions restreintes préparèrent les rapports sur les points les plus contestés. Mais l'ensemble des débats aurait pu être expédié en quinze jours, si l'on n'avait pas attendu le résultat des négociations poursuivies en marge de la conférence, par Léopold.

Dès la première séance, les données de l'équilibre diplomatique se précisèrent. Sir Edward Malet, après

1) Texte de l'Acte Général, ci-dessous, dans « Documents ».

avoir rappelé la nécessité de protéger les indigènes, insista sur la différence essentielle entre le Congo et le Niger. L'Angleterre, pratiquement seule présente sur le bas fleuve, n'admettrait pas le contrôle d'une commission internationale, et ferait elle-même respecter les décisions de la conférence. La France, qui, malgré la fusion récente de la *Compagnie d'Afrique équatoriale* avec la *United Africa C°* de Goldie Taubmann, n'avait pas renoncé à la pénétration vers le Soudan par le bassin du Niger, se montra réservée. L'affaire fut renvoyée en commission. Bismarck appuya le point de vue britannique. Les Anglais eurent finalement gain de cause et l'on admit que sur le Haut-Niger la France — qui n'y était pas encore installée — jouerait un rôle analogue à celui confié à la Grande-Bretagne dans le delta. Il apparut ainsi que la rivalité franco-britannique subsistait et que le rapprochement franco-allemand se limitait à une simple détente. Au reste, le fait que la France n'eût pas songé à partager avec l'Allemagne la présidence de la conférence, et les déclarations de Jules Ferry à la Chambre avaient déjà montré que l'amitié souhaitée par Bismarck ne détournait pas les yeux français « de la ligne bleue des Vosges ».

Les susceptibilités nationales s'exprimèrent aussi, au cours des deuxième et troisième séances (19 et 27 novembre) sur l'étendue du territoire où régnerait la liberté commerciale. Kasson rappela que les Etats-Unis avaient reconnu le pavillon de l'A.I.A., sans que les limites des régions où domineraient ce principe fussent fixées. Il les souhaita aussi larges que possible, et une commission présidée par le baron de Courcel ambassadeur de France, eut à établir la distinction entre le bassin géographique et le bassin conventionnel du Congo. Ce dernier devait permettre l'accès, depuis l'océan Indien et l'Atlantique, au bassin géographique. France et Portugal invoquèrent leurs droits de souveraineté sur les côtes. On se mit finalement d'accord pour limiter ce bassin conventionnel, sur l'Atlantique, à un couloir entre Sette Cama

(entre l'Ogoué et le Kouilou) et la Logé (à Ambriz
dans le nord de l'Angola); sur l'océan Indien, la côte
entre le Mozambique et les domaines du sultan de
Zanzibar, que l'Angleterre en fit explicitement
exclure, ainsi que les sources du Nil. Stanley aurait
souhaité un bassin conventionnel qui eût largement
pris en écharpe toute l'Afrique centrale. Dans cette
zone, il fut interdit de percevoir des droits d'entrée
sur les importations. On autorisait donc les droits de
sortie, indispensables aux budgets locaux.

Dès le 17 novembre, Kasson proposa la neutralité
de ce bassin conventionnel. France et Portugal s'y
opposèrent au nom de leur souveraineté sur la partie
de leurs colonies qui se trouvait incluse dans le bassin.
On finit par admettre que la neutralité serait facul-
tative, chacun des souverains présent ou futur restant
libre de la proclamer. Léopold seul usera de ce droit
lors de l'avènement de l'Etat Indépendant du Congo.

Ces débats sur la délimitation et sur la neutralité
du bassin conventionnel mettent en lumière le
deuxième objet qu'on tend parfois à trop laisser dans
l'ombre, à savoir que, pour la plupart des puissances,
le principal but de la conférence devait bien être
de préserver le libre-échange que les annexions
récentes par la France et le Portugal, puis le traité
anglo-portugais, avaient limité. C'est pour cela
qu'elles se montrèrent en général favorables à l'ex-
tention du domaine de l'A.I.C. — Le futur Etat
Indépendant — que l'on crût ou non à sa pérennité —
assurait un avenir au libre échange international.

Cette préoccupation économique s'exprima curieusement au cours des discussions sur les Actes de
navigation du Congo et du Niger. Les articles 25 et
33 de l'Acte général de la conférence y introduisirent
en effet une étonnante « novation juridique », selon
le terme du rapport du délégué français, Engelhardt,
auteur des Procès-verbaux adressés au ministère des
Affaires étrangères : Ces articles décrétaient que,
dans les deux bassins, en cas de guerre, le trafic des
commerçants de toutes les nations, « neutres ou

belligérantes », demeurerait libre « malgré l'état de guerre, sur les routes, chemins de fer, lacs et canaux » comme sur les fleuves. Si donc une Puissance établissait sa souveraineté, elle n'en serait pas moins obligée de laisser les commerçants ennemis circuler sur son territoire à condition, bien entendu, qu'ils n'y transportent pas de munitions ou autre contrebande de guerre (13 décembre).

Cet ultime triomphe du libéralisme devait faciliter les discussions finales sur un partage éventuel. Sujet de la dernière des six déclarations engendrées par l'ordre du jour initial, elles révélèrent le troisième objet fondamental des délibérations. La déclaration, longuement discutée en commission, après la suspension de la conférence du 22 décembre au 5 janvier, fut adoptée en séance plénière le 31 janvier. Son objet fut de préciser « les conditions essentielles à remplir pour que des occupations nouvelles sur les côtes du continent africain soient considérées comme effectives ». C'était le problème posé par le traité anglo-portugais de février 1884, que les Puissances n'avaient pas reconnu. On fut d'abord amené à préciser qu'il n'était question que des côtes. L'ambassadeur d'Angleterre, cependant, proposa « que les règles qui vont être établies pour les prises de possessions nouvelles en Afrique fussent rendues applicables à tout le continent africain ». Busch fit alors remarquer « que cela impliquait forcément la détermination précise et prochaine de l'état de possession de chaque Puissance en Afrique ». Kasson s'y étant montré favorable, de Courcel protesta que l'état actuel de l'exploration ne permettait pas une délimitation qui « aboutirait en fait à un partage de l'Afrique ». Or ce n'était pas là le but de la conférence; elle « a reçu la mission exclusive de statuer pour l'avenir; les situations acquises échappent à ses décisions ».

Le partage ayant été écarté, on posa le principe de la notification, en admettant qu'elle pût précéder l'occupation effective. Celle-ci fut difficile à définir, car des termes précis pouvaient obliger les métropoles à des dépenses d'établissement qu'elles n'étaient pas disposées à faire. Malet reçut même un télégramme de son gouvernement suggérant la formule qui eût comblé Bismarck, de « territoires où une puissance aurait fait planter son pavillon ». On s'accorda sur des termes vagues : « Les Puissances reconnaissent l'obligation d'assurer dans les territoires occupés par elles sur les côtes du continent africain, l'existence d'une autorité suffisante pour faire respecter des droits acquis, et, le cas échéant, la liberté du commerce et du transit... »

Ainsi la conférence n'a pas partagé l'Afrique (1). Mais les délais observés, pour permettre à Léopold II de préciser les limites de l'Etat Indépendant; les formules constamment observées, qui répètent le même verbe au futur. « Les puissances qui exercent ou exerceront des droits de souveraineté ou une influence » dans le Bassin conventionnel, — les progrès récents des Français au Soudan, des Anglais en Gold Coast, etc., tout concourt à affirmer la conviction générale que ce partage était inéluctable. La déclaration sur la notification devait permettre de limiter les conflits futurs à des négociations diplomatiques.

Les devoirs humanitaires sur lesquels Sir Edward Malet avait insisté lors de sa séance inaugurale, en constatant que les Africains n'étaient pas représentés, s'exprimèrent par deux déclarations de principes non consécutives. L'article 6 mentionna, dans l'acte de navigation du Congo, la liberté religieuse et la protection des missionnaires et des voyageurs. Une brève déclaration spéciale interdit la traite des noirs, à laquelle tous les signataires avaient déjà renoncé (art. 9). Une longue discussion, le 22 décembre, ne permit cependant pas d'interdire la vente des spiritueux aux indigènes. Les représentants de l'Allemagne et de la Hollande, gros exportateurs, s'y opposèrent.

---

1) Cf. *infra*, Questions controversées : Le Mythe du partage de Berlin.

Une solution de compromis laissa aux « gouvernements locaux le soin de réglementer ce commerce. Cela revint à en permettre le développement.

Léopold ayant paraphé ses derniers accords avec la France et le Portugal, Bismarck, dans son discours de clôture du 26 février, fit « une communication qui, rigoureusement, devrait plutôt suivre la signature du traité » : il avait reçu de l'Association Internationale du Congo, au nom de son fondateur Léopold II, l'adhésion de l'A.I.C. aux résolutions de la conférence. Et de conclure :

« Messieurs, je crois répondre au sentiment de l'Assemblée en saluant avec satisfaction la démarche de l'A.I.C. et en prenant acte de son adhésion à nos résolutions.

Le nouvel Etat du Congo est appelé à devenir un des principaux gardiens de l'œuvre que nous avons en vue, et je fais des vœux pour son développement prospère et pour l'accomplissement des nobles aspirations de son illustre fondateur. »

CHAPITRE IV

L'AFRIQUE ORIENTALE

Vers 1870 l'Afrique orientale était encore mal connue des Européens. Ils en fréquentaient les côtes depuis leur découverte par les Portugais. Mais ces derniers avaient été cantonnés au Mozambique par les commerçants arabes, plus ou moins vassaux des sultans d'Oman, qui contrôlaient le commerce au Nord de la Rovouma, et par les Anglais dont la colonie du Natal fut officiellement créée en 1845.

Les seyyid (sultans) d'Oman étaient alliés aux Anglais depuis le début du siècle. Le plus actif d'entre eux, Saïd (1806-46), avait contribué à la sécurité de la route des Indes, menacée par les pirates Jawasmi du golfe Persique et par les Wahabites d'Arabie. Après avoir transféré sa capitale de Mascate à Zanzibar (1832), il avait développé les plantations de girofliers, qui firent de Zanzibar et de Pemba les premiers producteurs du monde de cette épice. Parallèlement, tout en réduisant progressivement, sous la pression des Anglais, l'importance du commerce des esclaves — le grand marché de Zanzibar fut définitivement fermé par un de ses successeurs Bargash, en 1873 — il avait noué des relations et signé des traités de commerce avec les puissances occidentales (Etats-Unis, France, Hanse),

développé le commerce avec l'Afrique, dont les
douanes alimentaient son budget. Après la mort de
Saïd l'empire d'Oman fut divisé, mais les seyyid
de Zanzibar poursuivirent la même politique, et par
le traité de Paris de 1862, France et Angleterre garan-
tirent l'intégrité des Etats de Zanzibar et d'Oman.
Ce traité, cependant, ne fixait pas les limites des
domaines continentaux du seyyid. Sur toute la bande
côtière, où régnait la langue swahilie, mêlée d'arabe
et de dialectes bantous, les commerçants arabes
contrôlaient les échanges. Ils introduisirent les armes
à feu, précieuses pour la chasse aux éléphants. Mais
les courtiers noirs avec lesquels ils traitaient, utili-
sèrent aussi les fusils pour razzier les populations
parmi lesquelles ils prélevaient des esclaves ; ceux-ci
portaient les défenses d'éléphants jusqu'à la côte,
avant d'être eux-mêmes entassés sur les boutres qui
les transféraient en contrebande vers le golfe Persique. La misère de ces populations sans défense et
la cruauté des potentats noirs qui les exploitaient
impressionnèrent les explorateurs et les missionnaires européens qui s'aventurèrent dans l'Afrique
interlacustre.

Livingstone, au cours de sa deuxième grande
exploration de 1858 à 1864, révéla ces maux. Parti
de l'estuaire du Zambèze, il remonta le Shiré, décou-
vrit le lac Nyassa. Sa troisième expédition (1866-73),
le conduisit de la Rovouma au Nyassa, puis au
Tanganyika et au Loualaba, (Congo) qu'il croyait
pouvoir identifier avec le Nil. Des missionnaires
écossais, les frères Moïr, organisèrent le commerce
par bateau sur le Shiré, par piste carrossable entre
l'étape de Blantyre (1878) et le petit port de Living-
stonia, d'où leur vapeur sillonna le lac Nyassa.

Stanley, parti en septembre 1874 de Zanzibar,
avec 356 hommes et le bateau démontable « Lady
Alice », explora le lac Victoria et fut reçu par le roi
Mtesa du Bouganda, dont la solide structure poli-
tique et la civilisation l'impressionnèrent (1875).
Il gagna ensuite Ujiji sur le Tanganyika, puis le

Loualaba qu'il suivit jusqu'à Boma. Au Nord de
Bagamayo, l'explorateur prussien Claus von der
Decken avait parcouru le « sultanat de Vitou » dont
le chef Achmet Simba cherchait à s'affranchir de la
domination zanzibarite. Il sollicita vainement le protectorat prussien, et Bismarck rejeta encore en 1879
une demande semblable transmise par l'explorateur
Clément Denhardt.

Du Soudan égyptien, les gouverneurs britanniques
au service du khédive, Sir Samuel Baker, puis Gordon (1873-76), répandirent également dans la
Province Équatoriale des armes pour chasser l'élé-
phant, et tentèrent, en cherchant à réprimer la
traite des esclaves, d'exercer une influence jusqu'au
Bounyoro et au Bouganda. Mais l'Ouganda était
décidément plus accessible depuis la côte de l'océan
Indien. Ce fut de Zanzibar que, jusqu'à la construction de la piste entre Boma et le Stanley Pool, après
1882, partirent toutes les expéditions européennes
importantes vers l'Afrique centrale : Zanzibar, capitale d'un Etat indépendant, protégé par les Anglais,
dont le consul John Kirk conseilla le seyyid Bargash
à partir de 1873; Zanzibar, centre de commerce
international où relâchaient les vapeurs de la « British
India Steam Navigation Company »; son fondateur,
l'armateur de Glasgow William Mackinnon, pro-
jetait la construction d'une route vers Tabora, marché
continental où convergeaient les pistes des lacs
Victoria et Tanganyika; Zanzibar où l'officier anglais
Lloyd Mathews, passé au service de Bargash, ins-
truisait les hommes recrutés en principe pour
refréner la traite sur le continent, mais dont l'armée
permettait aussi de maintenir dans l'obéissance du
seyyid les potentats hantés par la passion de la révolte
et de la création d'empires indépendants.

Tout ce complexe de politique et de commerce,
teinté d'intérêts africains, occidentaux et asiatiques,
mêlé de croyances islamiques, animistes et chré-
tiennes, consolidé par un demi-siècle d'équilibre
relatif, prospérait sans qu'aucune des puissances

européennes traditionnellement actives dans l'océan
Indien — Portugal, France, Angleterre — n'eût de
raison de le troubler.

L'Angleterre veillait jalousement à son autonomie.
Les raisons qu'elle avait de privilégier l'Afrique
orientale s'étaient renforcées. Vers 1885, ce n'était
plus seulement le contrôle de la route des Indes.
L'expansion de l'Afrique du sud vers le nord, puis
l'engouement des années 80 pour les chemins de fer
transcontinentaux et les projets du Cap-Caire,
l'occupation de l'Egypte en 1882 enfin, faisaient
qu'elle souhaitait écarter les Puissances aussi bien
des sources du Nil que des territoires par lesquels
passerait la future voie ferrée. La révolte mahdiste
en 1885 et le massacre de Gordon, envoyé en mission
pour évacuer la province équatoriale, avaient conduit
à l'abandon du Soudan égyptien. Mais les Anglais
attendaient le moment où l'affaiblissement des
mahdistes permettraient à « l'Egypte » de réoccuper
cette voie d'accès vers l'Afrique des grands lacs.

La situation changea quand Léopold II jeta son
dévolu sur l'Afrique centrale. L'*Association Internationale Africaine*, créée par la conférence des géographes à Bruxelles en 1876, recommandait aux
divers comités nationaux de multiplier les « stations
hospitalières, scientifiques et humanitaires » en
Afrique centrale. La voie d'accès la plus aisée partait
de la côte orientale. Les comités belge et allemand
(Afrikanische Gesellschaft in Deutschland) fondèrent
des stations, ainsi que les Pères blancs, dont la première mission atteignit Tabora en 1878.

Tout cela était affaire privée. Les derniers à souhaiter une intervention officielle étaient certainement les
commerçants hambourgeois qui assuraient environ
un quart des importations et la moitié des expor-
tations de Zanzibar. Les grandes firmes, O'swald,
Hansing, vivaient en bons termes avec Bargash et
avec les Anglais. Bismarck, qui s'était décidé en
1884 à intervenir sur la côte atlantique, hésitait à
entrer en conflit avec l'Angleterre en se mêlant aux

disputes entre le seyyid et ses vassaux africains. Il se résolut, à la fin de l'année, à envoyer sur place un bon observateur, en remplaçant le consul hanséate, William O'swald, par l'explorateur Gérard Rohlfs, nommé consul général d'Allemagne.

Le chancelier, cependant, était au courant des projets ambitieux du docteur Carl Peters. Ce diplômé d'histoire du Moyen Age avait découvert, au cours d'un séjour à Londres, les fastes d'une métropole universelle. Il en avait été ébloui et humilié dans son nationalisme simpliste. Il avait, d'autre part, la conviction d'être marqué par le destin pour accomplir une grande œuvre, et s'apparentait volontiers à Guillaume le Conquérant, à Fernand Cortés ou à Napoléon. Hostile à l'académisme et à l'immobilisme du vieux « Kolonial Verein » il fonda, en mars 1884, avec le comte Behr-Bandelin, camérier de l'empereur, et, le journaliste Friedrich Lange, éditeur de la « Täglische Rundschau », nationaliste et antisémite, une « Société pour la colonisation allemande » dans le but d'agir immédiatement, « en attendant que le Reich se décide à entreprendre une politique énergique ». Après avoir hésité entre le Brésil, l'Angola, le Kouango, il se décida pour l'Ousagara, arrière-pays de la côte africaine, en face de Zanzibar, dont Stanley avait brossé un tableau enchanteur dans son livre « *How I found Livingstone* ». Les quelque 500 souscripteurs qu'il convainquit réunirent environ 65 000 Marks. Contrairement à ses affirmations et à ses vantardises, Peters discuta son projet avec les bureaux des Affaires étrangères, qui ne s'y opposèrent pas, comme ils avaient fait précédemment. Mais ils ne l'encouragèrent pas non plus, et Bismarck, averti de son départ, chargea O'swald de lui rappeler, à Zanzibar, qu'il agissait à titre privé, sans appui officiel.

L'histoire du périple de Peters et de ses trois compagnons européens est aujourd'hui bien connue. (1)

1) F. F. Müller : Deutschland, Zanzibar, Ost Afrika, 1884-1890 — Berlin 1959.

Partis de Zanzibar avec 36 porteurs et 6 domestiques le 12 novembre 1884, ils reparurent, épuisés, à Bagamayo le 17 décembre. Ils avaient, en trente-sept jours, signé douze traités qui plaçaient quelque 140 000 km² sous la domination allemande. Les dix chefs indigènes, qui avaient apposé leur croix sous un texte allemand, n'étaient en général ni souverains, ni habilités à traiter. Appâtés par des cadeaux, enivrés, ou contraints, ils étaient peu conscients de ce qu'ils avaient fait. De Bombay, où il s'embarqua ensuite pour l'Allemagne, évidemment sans avoir rien révélé à Zanzibar, Peters avertit Behr-Bandelin, vice-président de la Société pour la colonisation allemande, et la Wilhelmstrasse. La Conférence de Berlin tirait à sa fin. Bismarck avait espéré que Rohlfs réussirait à s'insinuer dans les bonnes grâces de Bargash et à évincer les Anglais. Il n'en fut rien. Mais le système international de Bismarck apparaissait solide, et l'Angleterre se trouvait isolée en Europe.

Dès lors, puisque les compagnies à charte permettaient d'agir sans engager les finances de l'Etat et sans solliciter le Parlement, pourquoi ne pas ratifier les traités, juridiquement indéfendables, de Peters ? Le commerce allemand était plus prospère à Zanzibar que partout ailleurs. Pourquoi se priver de la satisfaction de mettre les Anglais en mauvaise posture en face de leur fidèle Bargash ? Peters, sans doute, n'était pas sûr. Bismarck se méfiait de lui. Mais quand une société par actions, la « Deutsche Ost Afrikanische Gesellschaft » (D.O.A.G.), distincte de la « Société pour la colonisation allemande » de Peters, fut créée, avec l'espoir de capitaux privés, Bismarck accorda une charte à celle-ci. Le protectorat allemand fut proclamé le 27 février 1885, lendemain de la clôture de la conférence de Berlin. Et le 27 mai, Bismarck télégraphia également à Rohlfs que le Reich acceptait la demande de protectorat du sultan Achmed du Vitou. Le banquier Karl von der Heydt fournit ses premiers fonds à la nouvelle société à charte, qui appointa Peters comme directeur en Afrique.

Bargash, indigné, protesta, proposa de soumettre l'affaire à une commission d'arbitrage franco-britannique. Mais avant que les Anglais eussent pu intervenir, l'escadre du commodore von Paschen se présenta devant Zanzibar avec un ultimatum qui donnait 24 heures au seyyid pour se soumettre (11 août 1885). Von Paschen escomptait un refus qui aurait ouvert les hostilités et permis à l'Allemagne de conquérir la côte correspondant aux territoires protégés. Kirk, en conseillant à Bargash d'accepter, déjoua la manœuvre, et une négociation s'ouvrit alors avec l'amiral Knorr. Mais pour fixer les limites de la zone où l'autorité du seyyid était incontestée, on fut bien obligé de recourir aux Anglais et aux Français qui s'étaient, en 1862, portés garants de l'intégrité. Une commission tripartite germano-anglo-française fut formée en décembre. Ses membres parcoururent lentement la côte, recueillant partout des témoignages favorables au seyyid.

Cependant la rivalité germano-anglaise se poursuivait dans l'arrière-pays. Au Kilimandjaro, Mathews avait fait reconnaître la souveraineté de Bargash et passé des traités avec vingt-cinq chefs chaggas entre mai et juillet 1885. Peu après son départ, Jühlke, l'un des compagnons de Peters, se présenta et en fit signer d'autres au nom de la D.O.A.G.. Au Vitou, Denhardt poussait Achmet à revendiquer une souveraineté générale sur tout le pays swahili.

Bismarck, finalement, proposa aux Anglais un accord de partage en « zones d'influence » : Les traités du 29 octobre et du 1er novembre 1886, en se fondant sur le principe de l'intégrité de l'acte de 1862, fixèrent à une bande côtière large de dix milles le territoire où la souveraineté de Zanzibar était reconnue. Au-delà, deux « zones d'influence » furent créées, entre la Rovouma et l'Oumba pour la D.O.A.G., et entre l'Oumba et la Tana pour la Compagnie à charte britannique, présidée par Mackinnon (*Imperial british East Africa Company*). Plus au nord, la souveraineté de Bargash fut admise sur les ports

de Kismayou, Baraoua, Merka, Mogadishou, War-
sheik. Restait à résoudre le problème de l'accès.
L'Angleterre proposa au seyyid la location à bail
aux deux compagnies de la partie de la côte qui les
intéressait, moyennant un partage du revenu des
douanes, qui allait augmenter considérablement.
Bargash mourut avant d'avoir conclu cette négociation. Son frère et successeur Khalifa ben Saïd fut
obligé d'accepter le 28 avril 1888.

A ce moment les abus de Vohsen qui remplaça
Peters comme directeur de la Compagnie, et qui
prétendit organiser l'administration et percevoir les
droits de douane sans tenir compte des intérêts de la
population fidèle au seyyid, avaient provoqué des
révoltes. A la fin de 1888 le soulèvement était général.
Les mécontents avaient chassé les Allemands de partout, sauf de Bagamayo et de Dar es Salam et leur
chef, un petit commerçant arabe, Bouschiri, prétendait créer un Etat africain indépendant du seyyid
qui avait abandonné la région.

C'était la faillite de toute la politique bismar-
ckienne. Le système des compagnies à charte échouait
en Afrique orientale comme dans le Sud-Ouest africain. La D.O.A.G. fit appel à l'Etat, et le chancelier
dut demander au Reichstag deux millions de marks
pour pouvoir envoyer le capitaine von Wissmann
réprimer la révolte. Il fut servi par l'Encyclique *In
Plurimis* et par la croisade anti-esclavagiste prêchée
par le cardinal Lavigerie. Le centre, catholique, vota
les crédits. Wissmann triompha, non seulement à
cause de ses méthodes terroristes, mais parce que
Bouschiri fut trahi par ses rivaux africains. Il fut
livré et pendu en décembre 1889.

Les insurgés reçurent en abondance des armes
perfectionnées que les maisons européennes, en particulier les firmes allemandes O'swald et Hansing
exportaient à Zanzibar et au Mozambique. Pour
empêcher ce ravitaillement des « marchands d'esclaves », Bismarck décréta le blocus de la côte. Il
demanda aux Anglais, puis aux Italiens et aux Portu-

gais d'y participer. Les Anglais, qui ne rencontrèrent pas d'opposition dans leur zone d'influence, où leurs fonctionnaires recherchaient la collaboration avec les indigènes, se rallièrent sans enthousiasme. La question d'Egypte ne leur permettait pas de se rapprocher de la France; ils ne souhaitaient pas s'opposer ouvertement à l'Allemagne. Le blocus d'ailleurs n'empêcha pas la contrebande, et la conférence de Bruxelles réunie pour mettre fin à la traite en 1889-90 n'y réussit guère non plus.

La prépondérance de Bismarck dans le contrôle des relations internationales était d'ailleurs menacée. Le rapprochement de 1885 avec la France avait été éphémère. Bismarck, alors, tenta d'intégrer la Grande-Bretagne dans son système. Après le renouvellement de la Triplice, il réussit à faire signer entre l'Angleterre et l'Italie, en février 1887, un traité secret garantissant le statu quo en Méditerranée. Au cas où une tierce puissance, qui ne pouvait être que la France, modifierait ce dernier, un partage était prévu, qui aurait assuré l'Egypte aux Anglais, la Tripolitaine et la Cyrénaïque aux Italiens.

Ce nouvel équilibre fut cependant menacé par l'affaire d'Emin Pacha. Ce dernier, de son vrai nom Edouard Schnitzer, était un médecin silésien, qui avait gouverné pour le khédive la province Equatoria, après le départ de Gordon (1878). Il s'était retiré dans l'Ouadelaï lors de la révolte des Mahdistes (1884) et, le gouvernement anglo-égyptien ayant évacué le Soudan, il se trouvait isolé avec les fonctionnaires et les mercenaires égyptiens qui l'avaient suivi. D'esprit aventureux, il avait établi son contrôle sur les caravanes et rêvait, comme bien d'autres, de se créer un empire. Des explorateurs européens évaluaient à 75 tonnes de 60 000 £ le trésor d'ivoire qu'il s'était constitué. Il réclamait, non une aide contre ses ennemis, mais des armes pour s'imposer en Ouganda et s'ouvrir la route vers la côte.

Les nouvelles qui se répandirent en Europe en 1888 passionnèrent les foules, les hommes d'affaires et les

chefs politiques. Les foules pensaient que secourir
Emin Pacha, victime des Mahdistes, était œuvre
humanitaire. Les hommes d'affaires, au premier chef
Mackinnon, président de la *British Imperial*, estimaient
qu'une expédition de secours serait rentable, si elle
rapatriait le trésor. Mais, en outre, Mackinnon se
trouvait d'accord avec Léopold II et le gouvernement britannique pour souhaiter que cet aventurier
ne restât pas dans cette région du Ouadelaï et de
l'Ounyoro qui commandait l'accès au Nil.

Un *Emin Bey relief committee*, financé par Mackinnon et ses amis, et par le gouvernement anglo-
égyptien, chargea Stanley de l'expédition. Lorsque ce
dernier rejoignit Emin sur le lac Albert en mai 1888,
celui-ci accueillit fraîchement l'explorateur qui lui
remit une lettre du Caire lui ordonnant de rentrer.
Il déclara vouloir d'abord prendre l'avis de ses sujets
du Ouadelaï. Stanley, entre-temps, récupéra ses
approvisionnements qu'il avait devancés, puis, quand
les deux hommes se retrouvèrent en février 1889,
Emin eut à faire face à une mutinerie de ses troupes.
Finalement, Stanley et le pacha regagnèrent la côte,
sans trésor, et Schnitzer, à Bagamayo, passa au service des Allemands, pour lesquels il prétendit vouloir
récupérer « sa province » d'Equatoria.

Peters et les colonialistes allemands s'étaient, en
effet, aussi enflammés. Un « Komitee » allemand de
secours, formé en juin 1888, chargea de l'expédition
Peters, qui débarqua en fin mars 1889 à Zanzibar. Il
arrivait trop tard, mais ne cachait pas son intention
de progresser rapidement vers l'Ouganda. Désavoué
par Bismarck, puis par le Komitee qui constata le
succès de Stanley, il gagna cependant le Vitou,
remonta la Tana et rencontra le 27 février 1890 le
kabaka du Bouganda, Mouanga, avec lequel il signa
un traité. Il s'agissait d'un banal accord sur la liberté
de commerce et d'établissement, mais, en traduisant
par « protectorat » le terme « amitié », Peters le présenta comme un acte politique.

Cela revenait à frapper les Anglais au point le plus

sensible de leur épiderme africain. Débarrassés d'Emin Pacha, ils ne pouvaient pas laisser une grande puissance s'installer dans cette province Equatoria qu'ils attendaient de récupérer quand s'effondrerait la domination des derviches. Bismarck le savait et multipliait les déclarations rassurantes à Londres. Il en avait assez de la boulimie territoriale de ces excités qui, agissant de leur propre initiative, finissaient par embarrasser le gouvernement et par imposer des dépenses : « Ma carte de l'Afrique, déclara-t-il en décembre 1888, se trouve en Europe. Là est la Russie et là, la France. C'est cela ma carte de l'Afrique (1). » Tout le secret de la politique coloniale du chancelier est dans ces mots. Les différentes attitudes qu'il adopta dans le domaine colonial s'expliquent toujours par la conjoncture internationale. Fatigué par les rodomontades de ses colonialistes irresponsables, il décida de liquider une fois pour toutes le contentieux colonial avec l'Angleterre. Il engagea la négociation pendant que Peters intriguait en Ouganda. Ce qui intéressait Bismarck, au moment où le lancement des emprunts russes à Paris rapprochait la Russie de la France, c'était de rattacher directement et non seulement par l'intermédiaire de l'Italie, la Grande-Bretagne à son système européen.

1) W. L. Langer : European Alliances..., p. 493.

CHAPITRE V

LES GRANDS TRAITÉS DE PARTAGE

I. — CONDITIONS DU PARTAGE

Il n'est pas évident que les Puissances réunies à la Conférence de Berlin fussent pressées de partager l'intérieur de l'Afrique. Bien que toutes se fissent des illusions sur les compagnies à charte, ce recours à l'initiative et aux capitaux privés devait au moins leur donner le temps de voir venir. Ce fut l'intervention de l'Allemagne en Afrique orientale qui précicita le mouvement.

Il en résulta une imbrication plus étroite encore de la politique coloniale dans la politique générale. C'est à juste titre que l'historien américain William Langer, dans la préface de son livre *The diplomacy of Imperialism,* définit l'impérialisme comme une « explosion de l'expansion outre-mer ». Les gouvernements, en se donnant pour tâche d'assurer les compagnies contre les interventions étrangères, recoururent à la notion de « sphère d'influence ». Celle-ci évoquée dans l'accord de délimitation anglo-allemand du 29 avril 1885, dans le golfe de Biafra, n'avait pas été retenue à Berlin. Lors des discussions sur les conditions à remplir pour que des occupations nouvelles fussent considérées comme effectives, on avait

renoncé à définir exactement les concepts d'occupation, de souveraineté et de protectorat. On s'était
finalement entendu sur la formule vague d'« exercice d'une autorité suffisante ». Ces efforts tradui-
saient le souci d'empêcher les partages opérés sur la
carte, sans « occupation effective ». Or la notion de
sphère d'influence, introduite dans l'article 3 du
traité germano-britannique de 1886 était en contra-
diction avec l'Acte de Berlin. Elle ne le violait pas,
parce que l'Acte général ne considérait que les côtes,
mais elle appliquait à l'arrière-pays des principes
opposés. La sphère d'influence n'est encore, ni explorée, ni occupée; aucune « autorité suffisante » ne s'y
exerce. Elle est une chasse gardée, dont l'exploitation interviendra dans l'avenir (1).

Ces sphères ne pouvaient donc pas être exactement
délimitées. Les accords qui les répartissaient gros-
sièrement entre les Puissances étaient sujets à des
révisions de détail. Ils sont comparables à ce que
nous appelons aujourd'hui des *lois-cadres*. Ils
recouraient à des notions abstraites — latitude et
longitude, ligne de partage des eaux, cours présumé
d'un fleuve dont on ne connaissait que l'embouchure,
populations, quand les ethnies étaient suffisamment
stables, groupées, et organisées en Etats, pour pouvoir
former des ensembles conformes aux exigences de la
technique et de l'économie modernes. Il en résulta
que les grands accords de principe, les partages en
zones d'influence de juillet et d'août 1890 et
d'avril 1904, furent suivis de nombreux traités
élaborés par des commissions mixtes qui travaillèrent
sur le terrain au cours des années. A simplement
feuilleter la liste des conventions analysées dans le
recueil utilisé par le Foreign Office, « The Map of
Africa by treaty » de Sir E. Hertslet, on constate
par exemple, qu'entre le 12 janvier 1869 et le
3 juin 1907, l'Angleterre passa trente traités de

1) Cf. *infra*, « Problèmes et Controverses : Zones d'influence ».

délimitation avec le Portugal. Il y en eut vingt-cinq
entre l'Angleterre et l'Allemagne du 29 avril 1885
au 11 juin 1907, et deux cent quarante-neuf avec la
France sur l'Afrique occidentale et centrale, plus
quatre intéressant également Zanzibar, le Maroc et
l'Egypte, entre le 28 juin 1882 et le 25 février 1908.

Ces accords entre Européens se référaient souvent
aux traités passés par les différentes Puissances avec
les indigènes. D'après Hertslet, la France conclut
entre 1819 et 1890 trois cent quarante-quatre traités
de souveraineté ou de protectorat avec des chefs
noirs — 118 avant 1880. La seule Compagnie royale
du Niger collectionna entre 1884 et 1892 trois cent
quatre-vingt-neuf traités.

Nous ne pouvons évidemment pas herboriser dans
ce maquis diplomatique. Il y faudrait un gros volume.
Les gouvernements ne ratifièrent pas aveuglément
tous les traités. Beaucoup n'étaient pas juridiquement
valables, soit que les explorateurs, qui n'avaient pas
reçu d'instructions et de formulaires, n'eussent pas
observé les règles en usage, soit que les chefs noirs
n'eussent pas été, d'après les normes européennes,
aptes à contracter. Ces Africains, même quand ils
n'étaient pas sciemment trompés, quand on leur
traduisait et commentait les textes, comme faisaient
souvent les missionnaires en Afrique orientale, ne
pouvaient pas bien comprendre des concepts aussi
subtils que celui du protectorat. Souvent aussi les
agents des compagnies, les explorateurs ou les aven-
turiers rédigeaient des accords pour les besoins de
leur cause, et trompaient volontairement les noirs.
Parfois les chancelleries elles-mêmes furent dupes,
comme lorsqu'elles acceptèrent de faux traités,
fabriqués par la Compagnie royale du Niger (1). Les
gouvernements, lorsqu'ils ratifiaient ou lorsqu'ils
rejetaient des projets de traités, s'inspiraient essentiellement de leur utilisation pour repousser d'autres
prétentions européennes. Nul doute que l'Afrique

1) A. E. Flint : Sir George Goldie..., p. 163, etc.

noire n'ait jamais été considérée, dans ces négociations, comme un interlocuteur valable : Le partage
de l'Afrique était exclusivement affaire des puissances européennes. Leur but, lorsqu'elles agissaient
avec leur bonne conscience d'occidentales, était non
de respecter cette Afrique moribonde, destinée à
succomber sous le choc des techniques modernes,
mais de précipiter sa fin, pour apporter aux populations « primitives » les bienfaits de leur civilisation.

Ce heurt et cet anéantissement de civilisations
séculaires ne sont pas spécifiques de l'Afrique noire
et de la fin du XIXe siècle. Ils s'étaient produits en
Amérique au temps des conquistadores, en Océanie,
au début du XIXe siècle, en Asie, sous la pression des
impérialismes chinois ou russes. Et les réactions qui
se manifestèrent tardivement ne sauvèrent pas les
cultures traditionnelles, car elles furent le fait
d'Africains occidentalisés; leur indignation contre
les procédés du partage ou contre le viol du droit
des gens s'exprimèrent au nom de concepts et dans
des langues européennes. Tant il est vrai que l'évo-
tion de l'Humanité est commandée, non par la
force brute — les Barbares ont souvent adopté les
cultures des vaincus, — mais par la technique la plus
avancée. Les peuples dépendants le restent jusqu'au
jour où ils s'approprient ces techniques et contri-
buent à leur progrès. Ils deviennent alors capables
d'invention, et chaque invention creuse la tombe
d'une tradition.

En l'absence des noirs, les accords de partage ont
reflété les préoccupations des blancs : appétit de
puissance et crainte de perdre la face s'ils cédaient
sans « compensation », évaluation de la rentabilité
économique à venir, élaboration de réseaux d'alliances diplomatiques. Le partage de l'Afrique, dès
lors, s'est accompli en fonction des intérêts des puissances en Europe ou dans d'autres continents, et le
statut de maints territoires africains a dépendu de
concessions que les partis se faisaient ailleurs.

II. — LE TRAITÉ GERMANO-BRITANNIQUE
DU Ier JUILLET 1890

L'accord anglo-germanique du Ier juillet 1890 (1) en est un bon exemple. L'initiative en revint à Bismarck. Celui-ci souhaitait rattacher à son système l'Angleterre qui s'en était approchée par le traité secret de février 1887 sur le statu quo en Méditerranée. Bien qu'il eût encore l'intention de renouveler le traité de contre-assurance avec la Russie, qui expirait en juin 1890, il ne pouvait pas ne pas être attentif au rapprochement franco-russe inauguré par le lancement du premier grand emprunt russe à Paris en 1888. Dès janvier 1889, il offrit une alliance à Salisbury, peu désireux de s'engager davantage. Il revint à la charge en automne en proposant de régler les différends en Afrique, où les rivalités entre les compagnies allemande et anglaise s'exaspéraient, et où les initiatives de Peters en Ouganda menaçaient la suprématie britannique dans le bassin du Nil.

La négociation s'engagea et achoppa sur la frontière entre l'Etat Indépendant du Congo et la zone d'influence allemande. Bismarck tenait à cette contiguïté, parce que le libre-échange qui régnait au Congo ouvrait de belles perspectives au commerce de l'Allemagne et de sa colonie. Les Anglais, eux, cherchaient une liaison entre la Rhodésie et l'Ouganda pour pouvoir construire en territoire britannique le chemin de fer du Cap au Caire. La solution fut trouvée quand Mackinnon, président de la *Imperial British East Africa Company* obtint, le 24 mai 1890, de Léopold II la promesse de cession d'un corridor pris sur le territoire de l'Etat Indépendant. Il devait en résulter le traité du 25 mai 1894, par lequel Léopold louait aux Anglais le couloir de liaison, et les Anglais à Léopold le Bahr el Ghazal. Mais les

1) Cf. *infra*, « Documents », p. 129.

protestations de la France et de l'Allemagne empê-
chèrent la ratification de cet accord.

Cependant en 1890 Salisbury ne pouvait pas prévoir cet échec. Il renonça donc à demander à Bismarck ce que Léopold lui assurait, et, pour obtenir
le retrait des Allemands du Vitou, l'abandon des
intrigues de Peters en Ouganda, la reconnaissance
d'une sphère d'influence britannique dans le bassin
du Nil, il offrit Heligoland. Les travaux de perce-
ment du canal de Kiel avaient commencé. La flotte
allemande pourrait donc passer de la Baltique dans
la mer du Nord, sans quitter le territoire national.
Mais le débouché du canal se trouvait à portée des
canons anglais de Heligoland. L'acquisition de cet
îlot revêtait une grande importance pour l'Allemagne.
La chute de Bismarck en mars 1890 n'interrompit
pas la négociation. Le général von Caprivi, qui suc-
céda au chancelier de fer, et qui n'appréciait pas
davantage les colonies, signa le traité dont les douze
articles liquidaient le contentieux germano-britannique de l'époque et présageait une entente durable
entre les deux puissances.

Ce traité, dont une lecture attentive s'impose, est
typique. Tous les caractères de l'impérialisme colonial de l'époque s'y retrouvent. Les connaissances
géographiques sur lesquelles il se fonde sont souvent
incertaines. Ainsi l'article Ier laissait à l'Angleterre
les monts Mfoumbiro (Rouanda), attestés par Stanley.
On mit ensuite quinze ans à s'apercevoir qu'ils
n'existaient pas. On constata aussi que le Rio del Rey,
dont un accord de délimitation de 1885 faisait état
pour séparer le Cameroun du Nigeria, n'était qu'une
indentation de la côte (art. IV, 2e). Des commissions
mixtes de délimitation et des rectifications sur le
terrain de ces limites souvent dessinées par les méridiens et les parallèles étaient prévues (art. III et VI).

L'acte définissait deux sphères d'influence en
Afrique orientale. L'Allemagne y dominerait de la
Rovouma à l'Oumba et acquerrait la côte et l'île de
Mafia grâce à la pression que l'Angleterre exercerait

dans ce sens sur le seyyid. Elle cédait à l'Angleterre tous ses droits au nord de l'Oumba, évacuait donc le Vitou, renonçait à toute prétention sur l'Ouganda et reconnaîtrait un protectorat britannique sur Zanzibar. En échange de ces importantes concessions, l'Angleterre cédait Heligoland. En Afrique occidentale la stipulation la plus importante fut celle qui prévoyait l'accès au Tchad des Allemands du Cameroun et des Anglais du Nigeria, tous deux progressant à partir de la Benoué et se communiquant les traités que leurs agents concluraient entre Benoué et Tchad (art. V).

Dans la délimitation du Sud-Ouest africain, l'Allemagne obtenait l'accès au Zambèze par un couloir large de vingt miles anglais au moins. Ce « doigt de Caprivi » sépare aujourd'hui la Zambie du Botswana.

Mal accueilli par les nationalistes des deux puissances, ce traité satisfit les gouvernements. Floué de l'Ouganda qu'il prétendait avoir acquis, Peters déclara : « Nous avons échangé trois royaumes contre une baignoire. » Et, plus crûment, Stanley estima que l'Allemagne avait donné « un costume neuf contre un vieux bouton de culotte ». L'indignation des nationalistes allemands conduisit à la fondation, en avril 1891, autour de Peters et de ses amis, du jeune docteur Alfred Hugenberg, du professeur Ernest Hasse, qui enseignait la politique coloniale à l'Université de Leipzig, de la Ligue pangermaniste allemande. Au programme de ses activités figurèrent la défense du Germanisme (Deutsches Volkstum), la politique mondiale, l'expansion coloniale et, de plus en plus, l'antisémitisme.

Les gouvernements cependant se trouvaient débarrassés des initiatives intempestives de leurs colonialistes. Caprivi pouvait considérer que les trois royaumes (Vitou, Ouganda, Zanzibar) étaient encore à conquérir ou à organiser, tandis que la baignoire entrait tout de suite dans la maison allemande. Et cette liquidation des conflits permettait d'espérer un

prochain et durable rattachement de l'Angleterre
au système d'alliances de l'Allemagne. Quant aux
Anglais, si certains, comme la reine Victoria elle-
même, répugnaient à céder un territoire britannique
en Europe, et si les colonialistes s'inquiétaient de ne
pas avoir obtenu de l'Allemagne le couloir de liaison
entre Rhodésie et Ouganda, ils se félicitaient que leur
prédominance sur le Haut Nil et Zanzibar fût
formellement reconnue. L'Allemagne, désormais, ne
menacerait plus de s'intéresser à la question d'Egypte.
Restait la France.

III. — LE TRAITÉ FRANCO-ANGLAIS DU 5 AOUT 1890.

La France, garante de l'intégrité de Zanzibar, ne
fut pas informée des négociations entre Anglais et
Allemands. Le seyyid, sans doute, pouvait accepter
librement un protectorat étranger sans que son
intégrité fût lésée. Mais pourquoi n'avoir pas tenu la
France au courant ? Aux protestations de l'ambassadeur français à Londres, Waddington, Salisbury
répondit qu'il avait « oublié ». Il proposa d'engager
avec la France des négociations immédiates, semblables à celles menées avec l'Allemagne. Son oubli
aurait-il été calculé pour obliger les Français, qui n'y
songeaient pas à ce moment, à un accord, et tenter
de leur arracher leur consentement à l'occupation
de l'Egypte ? On hésite à l'affirmer, car le premier
résultat de cette négligence fut de surexciter les nationalistes de droite et de gauche : Dès que le texte de
l'accord eut été révélé par le Reichsanzeiger
(17 juin), la presse française exprima l'humiliation
de la France « traitée comme la République du Val
d'Andorre » (Lockroy dans l'*Intransigeant* du
21 juin). Des journaux aussi modérés que *Le Temps*
(19-20 juin) et la *République française* (22-23 juin)
crurent à l'existence d'un accord secret sur l'Egypte.
La Cocarde, boulangiste, alla jusqu'à prévoir l'adhésion de la Grande-Bretagne à la Triplice moyennant

les mains libres, pour elle, en Egypte et pour l'Italie en Tripolitaine. Et tous déclarèrent que la France avait droit à des compensations... (1).

Il y avait d'ailleurs un autre motif d'inquiétude, que la grande presse n'invoqua pas, mais qui alarma les spécialistes : C'était l'introduction de l'Allemagne au Lac Tchad. Harry Alis, pseudonyme de Hippolyte Percher, chroniqueur du *Journal des Débats* auteur du livre « A la conquête du Tchad » (1895), qui allait être l'un des fondateurs du Comité de l'Afrique française, exprima bien cette appréhension dans une page de son rapport sur la seconde expédition de Mizon sur la Benoué en 1893 : « Voici de longues années, écrivit-il, que la France lutte pour asseoir son influence dans la région du Tchad. Ses titres sont les plus sérieux qui aient été produits : elle a traité avec le Mouri, avec l'Adamaoua — et jusqu'ici nous n'avons pas connaissance d'autres traités qui puissent lui être opposés. Cela n'empêche pas l'Angleterre de s'attribuer le Mouri, Yola, le Bornou, la rive du Tchad, sans même nous consulter.

M. Mizon est allé à Ngaoundéré; M. Ponel y a traité; nos postes sont dans la Sangha; M. Maistre a traité dans la région du Chari. N'empêche : Les Allemands, qui ne sont même pas allés dans ces pays, proclament : « Ceci est à nous. Rien n'est plus commode (2). »

Le quatrième cabinet Freycinet, formé le 17 mars 1890, fut violemment pris à partie à la Chambre. Le ministre des Affaires étrangères, Ribot, était plutôt anglophile et ne se passionnait pas plus que Waddington ou Salisbury pour l'Afrique noire. Il chercha des compensations — que les Anglais n'estimaient pas dues — en Egypte, en Tunisie, où la Grande-Bretagne jouissait de faveurs douanières

---

1) A. S. Kanya-Forstner : « French African Policy and the Anglo French Agreement of 5 August 1890. » *The Historical Journal*, t. XII, 4, 1969, p. 628-50, p. 632.
2) Harry Alis : *Nos Africains*, Paris, 1898, 8°, p. 493.

antérieures à l'établissement du protectorat français,
au Soudan. Ce fut finalement au cours de la délimitation des zones d'influence dans cette région qu'à
la suite de discussions très serrées, la France réussit
à s'assurer la jonction entre ses possessions du haut
Niger et du Congo, par le Tchad. Dans l'échange de
lettres du 5 août, il fut précisé que la France dominerait jusqu'à une ligne tracée entre Say sur le Niger
et Barroua sur le Tchad, et que par ailleurs, en
échange de la reconnaissance du protectorat anglais
sur Zanzibar, elle aurait les mains libres à Madagascar.

Bien que les négociateurs aient été abusés par les
faux traités que le Président de la *Royal Niger
Company*, Goldie Taubman, invoqua pour se réserver
en particulier le riche sultanat de Sokoto (1), le traité
n'était pas défavorable à la France. Elle avait obtenu
de repousser jusqu'à Say le point de départ de la
ligne de partage d'abord prévu à Bouroum, à 300 km
plus au nord, et cela devait lui permettre de dominer
l'intérieur de la boucle du Niger. Contrairement à
ce qu'on a souvent écrit, le sous-secrétaire aux Colonies, Etienne, approuva cet accord. Il en voulait
cependant à Ribot de l'avoir tenu à l'écart des négociations, et l'hostilité entre les deux hommes explique
sans doute la formation, au cours de l'automne, du
Comité de l'Afrique française. Ce dernier ne protesta
pas contre le traité d'août, mais groupa les activistes
et patronna des missions plus ou moins officieuses
qu'Etienne, qui fut, par la suite, l'un de ses principaux animateurs, encouragea.

L'accord du 5 août témoigne des mêmes caractères
que le traité sur Zanzibar. (2) Il délimite des zones
d'influence dans des régions inexplorées, prévoit
des commissions mixtes pour tracer la frontière sur
le terrain, s'abstient de la moindre mention des
peuples africains. Il fut complété par une convention

1) J. E. Flint : *Sir George Goldie and the Making of
Nigeria*, Londres, 1960, 8°, p. 166.
2) Cf. *infra*, « Documents ».

franco-allemande du 4 février 1894 sur la frontière entre le Congo et le Cameroun. Les mêmes caractères y apparaissent : On s'entendit sur le principe, en confiant à des commissions mixtes le soin de remédier à l'ignorance géographique : « Dans le cas, prévoit l'article IV, où la rivière Ngoko... ne couperait pas le deuxième parallèle, la frontière suivrait le Ngoko sur une longueur de 35 km... » et l'article V : « Dans le cas où le Chari, depuis Goufei jusqu'à son embouchure dans le Tchad, se diviserait en plusieurs bras, la frontière suivrait la principale branche navigable... » Enfin, l'article VII : « Les deux gouvernements admettent qu'il y aura lieu, dans l'avenir, de substituer progressivement aux lignes idéales qui ont servi à déterminer la frontière, telle qu'elle est définie par le présent protocole, un tracé déterminé par la configuration naturelle du terrain et jalonné par des points exactement reconnus, en ayant soin, dans les accords qui interviendront à cet effet, de ne pas avantager l'une des deux parties sans compensation équitable pour l'autre. »

IV. — LE TRAITÉ FRANCO-BRITANNIQUE DU 8 AVRIL 1904

Les accords de 1890 avaient esquissé la carte de l'Afrique à l'époque impérialiste. Ils avaient assuré le triomphe de la notion de zone d'influence. Ils avaient resserré la liaison entre la politique générale des puissances et leur expansion en Afrique. De plus en plus les travaux des commissions de délimitation qui arpentaient le continent furent dominés par les relations diplomatiques entre les Etats européens.

La question la plus difficile restait cependant celle de la rivalité entre la France et l'Angleterre en Egypte. Assez maladroitement, le gouvernement français crut pouvoir obliger l'Angleterre à la résoudre en achetant par de substantielles compensations la reconnaissance de la prédominance britannique, lorsqu'il décida en 1894 d'envoyer une mission vers le Bahr-el-Ghazal et le Haut Nil. Le capitaine Marchand, qui partit du Congo en 1896, devait être rejoint sur le Nil par une autre mission, confiée à l'explorateur Bonchamps. Ce dernier, parti de Djibouti, aurait réalisé le grandiose projet de réunir le Soudan français à Djibouti, avec la complicité de l'empereur d'Abyssinie, Ménélik. L'auteur du projet était le résident de France à Djibouti, Léonce de Lagarde. Les deux missions furent diplomatiquement mal préparées et subirent des retards considérables. Le secret fut mal gardé; l'Angleterre avertit qu'elle s'opposerait à une intervention française sur le Nil, et eut le temps d'organiser, à partir de l'Egypte, la reconquête du Soudan. La colonne Marchand, après une progression difficile, atteignit Fachoda en juillet 1898. Bonchamps, qui était arrivé en janvier à 150 km de là, avait dû, épuisé et abandonné par les Abyssins, rebrousser chemin. Cependant Kitchener, à la tête d'une troupe de 25 000 hommes, battit les Mahdistes à Ondourman le 2 septembre et, rencontrant Marchand le 19, lui déclara qu'il prenait possession de Fachoda au nom de l'Egypte.

Contrairement à ce qu'on a longtemps affirmé en se fondant sur les articles de presse, les deux gouvernements conservèrent plus de sang-froid que les opinions publiques. Leurs négociations aboutirent à la convention du 21 mars 1899, qui limitait les zones d'influence respectives à la ligne de partage des eaux entre le Nil et le lac Tchad. C'était un échec pour la France, mais, pour lui sauver la face, on fit de cette convention un article additionnel à l'accord du 14 juin 1898, qui fixait les limites nord du Dahomey et de la Côte d'Or et rectifiait sur certains points, à l'avantage de la France, la ligne Say-Barraoua.

Ce fut la rivalité navale entre l'Angleterre et l'Allemagne qui conduisit finalement à régler tous les conflits coloniaux entre la France et l'Angleterre. Les visées de la France sur le Maroc allaient d'ailleurs fournir une ample compensation à l'abandon de ses prétentions sur l'Egypte. Et une fois de plus le traité du 8 avril 1904 lia, par le jeu des compensations, le sort des territoires africains à ceux d'autres continents. Le traité résolut trois problèmes par des compromis : le premier sur le bassin du Menam en Indochine, les douanes de Madagascar et le statut des Nouvelles Hébrides. Par le deuxième, la France renonçait à ses privilèges de pêche sur la côte occidentale de Terre Neuve, recevait les îles de Los, au large de la Guinée, obtenait des rectifications des frontières entre le Sénégal et la Gambie et au nord du Dahomey. La communication par eau lui était aussi assurée dans la région du Chari au Tchad (1). Enfin une « déclaration » reconnaissait les droits éminents de la France sur le Maroc et de l'Angleterre sur l'Egypte.

Au sud du Congo, les Anglais s'opposèrent aux Portugais. Ces derniers, constamment gênés par des crises financières, tentèrent trop tard d'empêcher le progrès de la Compagnie à Charte d'Afrique du sud vers le nord. Leur effort pour réunir l'Angola au Mozambique fut brutalement stoppé par l'ultimatum du 11 janvier 1890 qui leur enjoignit d'évacuer la région du Shiré. A la suite de cette humiliation, dont Salisbury aurait pu se dispenser, la convention du 20 août 1890 opéra le partage.

Toujours incités à l'action par les déficits portugais, et désireux de contrôler le chemin de fer de Lorrenzo Marques au Transvaal, Anglais et Allemands, tout en affirmant l'intégrité des colonies portugaises, signèrent le 30 août 1893 des accords secrets : Dans le cas où le Portugal ne pourrait plus assumer l'administration de son empire, celui-ci serait réparti entre les contractants, à l'exclusion d'une tierce puissance (la France). Le port d'Ambriz (Congo) serait réservé à l'Allemagne. La guerre des Boers, le refroidissement des relations entre Angleterre et Allemagne, la Première Guerre mondiale, empê-

1) Cf. *infra*, « Documents », p. 141.

chèrent la réalisation de ces projets (1). La seule modification importante à la carte de l'Afrique coloniale fut le compromis du 4 novembre 1911 par lequel la France, en échange de la reconnaissance de son protectorat sur le Maroc, cédait à l'Allemagne une bande de son territoire congolais au sud du Cameroun et deux enclaves, qui, en assurant les communications entre le Cameroun et les fleuves du Congo et de l'Oubangui, interrompaient la continuité de son territoire congolais.

Ces enclaves disparurent quand, après la Première Guerre mondiale, l'Allemagne fut privée de ses colonies. Elles furent placées sous mandat de la Société des Nations, au profit de la Belgique (Rouanda-Bouroundi), de l'Angleterre (Afrique orientale, désormais nommée Tanganyika), de l'Union sud-africaine (Sud-ouest africain). Le Togo et le Cameroun furent partagés entre la France et l'Angleterre.

De ce partage, que reste-t-il ? Si nous comparons la carte de l'Afrique colonisée de 1918 à celle de l'Afrique décolonisée contemporaine, les changements nous apparaissent, au premier abord, minimes. Les frontières artificielles des colonisateurs, tracées arbitrairement, sous l'empire de préoccupations souvent étrangères à l'Afrique, et en faisant intervenir le principe des compensations qui ressortit plus au nationalisme européen qu'aux réalités africaines, se consolideraient donc. La Gambie libre ne s'associe pas plus aisément au Sénégal indépendant qu'au temps des négociations à ce sujet entre la France et l'Angleterre. L'enclave espagnole du Rio Mundi

1) A. J. Hannah : The Beginnings of Nyassaland and North Eastern Rhodesia 1859-1895, Oxford, 1956, 8°, p. 147 sq.
R. J. Hammond : Portugal and Africa 1815-1910, Stanford, 1966, 8°, p. 166 sq et 253 sq.

forme un Etat indépendant plutôt que de rejoindre
le Gabon ou le Cameroun aux populations appa-
rentées.

Mais n'est-ce pas là une appréciation superficielle ?
Ne doit-on pas aussi rappeler que l'Afrique noire a,
de tout temps, hésité entre deux tendances opposées,
l'une centripète, l'autre centrifuge ? Les empires soudanais, le Monomotapa, l'Abyssinie, ont réuni et
organisé de vastes territoires et se sont dispersés sous la
pression d'ethnies rivales bien avant l'intervention
des impérialistes européens. Et, depuis la décolonisation, si beaucoup d'ethnies réclament leur indépendance et n'hésitent pas, comme récemment les
Ibos du Biafra, à sacrifier leurs vies à cet idéal, des
regroupements se sont aussi opérés, en Tanzanie
par exemple, où Zanzibar a retrouvé une partie de
son ancien domaine continental.

L'évolution générale des techniques et de l'économie mondiale assureront sans doute dans un avenir
lointain le triomphe de la tendance centripète. Elle
l'aurait provoqué aussi sans l'intermède impérialiste.

Les partages n'ont-ils donc fait qu'accélérer le
progrès de l'histoire à court terme, dans la voie tracée
par la conjoncture à long terme ? Probablement pas,
car le fait le plus remarquable est que les modifications des frontières entre Etats décolonisés se sont
surtout opérées à l'intérieur des zones linguistiques
créées par le colonisateur. Les exceptions du Togo
ou du Cameroun s'expliquent par la proscription de
la langue étrangère — allemande — depuis 1918.

L'introduction, non seulement de langues, mais de
cultures, de comportements étrangers, semble donc
avoir tardivement justifié et consolidé le partage
impérialiste. La multiplicité des langues africaines —
on en recense au moins 1 200 — favorise le développement du français, de l'anglais ou du portugais dans
la plupart des Etats où la préférence accordée à l'une
des langues africaines, telle le Wolof au Sénégal,
renforcerait l'opposition centrifuge des ethnies non
privilégiées. Les langues occidentales sont, d'autre

part, indispensables à l'acquisition des techniques de développement, et s'imposeront jusqu'à l'achèvement de l'industrialisation du continent. Il est possible qu'un jour les langues les plus répandues — le haoussa, le peul, le swahili, etc. — dominent dans des états aux limites entièrement nouvelles, et qui pourraient englober des territoires actuellement qualifiés d'anglophones, de francophones ou de portugais. Mais pour l'instant, et pour le proche avenir, les limites des grandes zones où prédominent l'anglais, le français ou le portugais apparaissent singulièrement fermes. Lorsqu'elles correspondent aux frontières des états décolonisés, elles séparent vraiment deux mondes différents. Elles perpétuent, sans doute, les anciennes sphères d'influence et représentent le legs le plus durable du partage impérialiste. A l'intérieur de ces grandes zones, les frontières ont été et seront peut-être encore déplacées, au gré des circonstances et selon le jeu des tendances centrifuges et centripètes.

CONCLUSION

Le partage de l'Afrique est un sujet brûlant. L'actualité a forgé le mythe des Européens, avides et sans scrupules, réunis autour du tapis vert pour dépecer le continent noir. Les meilleurs esprits parlent aujourd'hui du « partage de Berlin », comme si la colonisation n'avait pas commencé bien avant 1885, et comme si l'esprit de la conférence de Berlin n'avait pas été plutôt contraire à un partage accéléré.

Nous avons tenté de démontrer :

1° que le véritable impérialisme partageur date en réalité de la généralisation, après 1890, de la notion de *sphère d'influence*, qui était contraire à celle d'*occupation effective* définie par la conférence de Berlin, et qui apparut pour la première fois en Afrique noire dans le traité germano-britannique du 29 avril 1885 sur le golfe de Biafra.

2° que l'expansion coloniale en Afrique a toujours été, aux yeux des chancelleries, une question secondaire, subordonnée au jeu des alliances et des rivalités en Europe;

3° que l'accélération du partage fut fonction des nationalismes et du progrès technique en Europe. Les projets de construction de voies ferrées, en particulier des transsahariens français vers le Niger et vers le Tchad, et du Cap-Caire anglais, figurent incontestablement parmi les détonateurs de « l'explosion coloniale » des années 1890-1904. Il s'y joignit le souci d'assurer à la grande industrie, en plein développement, des débouchés qui, dans l'avenir, pourraient lui faire défaut. Cette accélération, cependant, se freina d'elle-même. S'il était, en effet, facile de découper le continent en portions, selon les méridiens, les parallèles ou le cours présumé des fleuves, l'assimilation de ces dépouilles exigeait une lente prospection et l'injection de capitaux qui n'atteignirent presque jamais le niveau nécessaire à une véritable mise en valeur. D'où le jeu infiniment complexe des commissions de délimitation et des organisations et réorganisations administratives, qui se poursuivit pendant plusieurs décennies.

Le caractère le plus remarquable de cette histoire, qui est plus européenne qu'africaine, est le sentiment moral qu'elle a engendré chez les uns et chez les autres. Aux yeux des Africains, qui se plaignent à juste titre d'avoir été privés de leur liberté, cet épisode en soi banal d'une conquête et d'une domination étrangère a créé un droit à réparation : Puisque l'Europe a imposé à l'Afrique sa civilisation, elle doit lui fournir les moyens de la développer. Devenus libres, les Africains continuent à reprocher leur impérialisme aux anciennes métropoles. Ils savent cependant que leur défaite a été une victoire des techniques européennes. Redevenus maîtres de leur destinée, ils cherchent donc à s'approprier ces techniques plutôt qu'à restaurer un passé qu'ils parent de toutes les vertus. Ils progressent à grands pas dans la voie frayée par la colonisation et font, avec plus de décision et d'énergie, mais surtout sous leur contrôle et à leur profit, ce qu'ils reprochent au colonisateur d'avoir fait.

Quant à ce dernier, curieusement, il bat sa coulpe. Il plaide coupable, accepte la condamnation, et reconnaît le droit à réparation. Cette humilité, qu'on chercherait en vain dans les nombreux exemples de conquêtes dont l'Histoire est prodigue, résulte sans doute de la persistance, en Occident, du mythe du bon sauvage. La nostalgie du Paradis perdu, entretenue par le christianisme, la réaction de l'individu occidental contre les contraintes sociales cependant bien moins sévères que chez les peuples qualifiés de « primitifs », sa révolte récente contre les impératifs constamment renouvelés du progrès technique, le font rêver à une vie accordée au rythme lent des travaux et des jours. Les campagnes humanitaires du XIXe siècle, l'intérêt témoigné par les ethnologues du XXe aux us et coutumes des sociétés préindustrielles, ont confirmé cette attitude.

Cependant, noirs et blancs, tout en sacrifiant à ces chimères, savent bien que l'évolution de l'humanité est fonction du progrès scientifique et technique; et celui-ci leur permet de dominer cette Nature, dont ils semblent regretter l'aveugle tyrannie.

DEUXIÈME PARTIE : *Éléments du dossier et État de la Question.*

DOCUMENTS

Document 1 : TRAITÉ DU 19 FÉVRIER 1842 AVEC LE ROI PETER DE GRAND BRASSAM (1).

Le Roi Peter et les chefs Quachi et Wouaka, considérant qu'il est de leur intérêt d'ouvrir des relations commerciales avec un peuple riche et bon, et de se ranger sous la souveraineté de son puissant monarque, établissent devant témoins soussignés les articles du traité suivant, souscrit entre MM. Charles-Philippe de Kerhallet, lieutenant de vaisseau, commandant la canonnière-brig l'Alouette, et Alphonse Fleuriot de Langle, lieutenant de vaisseau, commandant la canonnière-brig La Malouine, agissant au nom de M. Edouard Bouët, capitaine de cor-

* Texte original en anglais.

1) Archives des Affaires étrangères, *Mémoires et documents, Afrique,* 51.

vette, commandant la station des côtes occidentales d'Afrique, et par suite au nom de S. M. Louis-Philippe Ier, Roi des Français, leur souverain.

ARTICLE Ier. — La souveraineté pleine et entière du pays et de la Rivière du Grand Bassam est concédée au Roi des Français ; les Français auront donc seuls le droit d'y arborer leur pavillon et d'y faire toutes les bâtisses et fortifications qu'ils jugeront utiles ou nécessaires en achetant les terrains aux propriétaires actuels.

Aucune autre nation ne pourra s'y établir en raison même de la souveraineté concédée au Roi des Français.

ART. 2. — Le Roi Peter et les chefs Quachi et Wouaka cèdent également deux milles carrés de terrain, soit sur les bords de la rivière, soit à la plage, un mille sur l'une, un mille sur l'autre.

ART. 3. — En échange de ces concessions, il sera accordé au Roi et à son peuple protection des bâtiments de guerre français. En outre, il sera payé au Roi lors de la ratification du traité :

10 pièces d'étoffes assorties,
5 barils de poudre de 25 livres,
10 fusils à un coup,
1 sac de tabac,
1 baril d'eau-de-vie,
5 chapeaux blancs,
1 parasol,
2 glaces,
1 orgue de barbarie.

Les chefs Quachi et Wouaka auront la moitié des cadeaux accordés au Roi Peter.

Lors de l'entrée en possession des deux milles carrés concédés, il sera payé une valeur égale, que le Roi partagera avec les propriétaires actuels dudit terrain, suivant convention faite entre eux.

ART. 4. — Il reste bien entendu que la navigation et la fréquentation paisibles de la rivière et de tous les affluents sont assurées aux Français dorénavant, aussi bien que la traite libre de tous les produits du pays même, comme de ceux qui y sont importés de l'intérieur.

Le Roi et toute la population sous ses ordres s'engagent donc à se conduire avec bonne foi à l'égard des Français, à les faire respecter dans leur personne et dans leurs propriétés ou marchandises et alors un présent annuel facultatif sera fait au Roi par le gouvernement ou par les traitants à titre de récompense.

Art. 5. — Si quelques différends s'élevaient entre les traitants et les naturels il en serait statué par le commandant du premier navire de guerre arrivant dans le pays, lequel ferait prompte justice des coupables de quelque côté qu'ils fussent.

Art. 6. — Les bâtiments de commerce seront respectés et protégés. Ils ne seront nullement inquiétés dans leurs relations commerciales et autres; si l'un d'eux faisait naufrage, il serait concédé un tiers des objets sauvés aux naturels qui auraient coopéré au sauvetage

Art. 7. — Le présent traité aura son cours dès aujourd'hui même, quant à la souveraineté stipulée, sinon les signataires exposeraient leur pays à toutes les rigueurs de la guerre que leur feraient les bâtiments de guerre français dans ce cas.

Quant au paiement des marchandises d'échange, il aura lieu, ainsi qu'il est dit art. 3, après la ratification du traité par le Roi des Français.

Ledit traité, lu et relu au Roi en français et en anglais, a été fait en double et de bonne foi entre nous, au mouillage de Grand Bassam le 19 février 1842 à bord de l'Alouette.

Lieutenant de vaisseau
cdt L'Alouette
Kerhallet

Lieutenant de vaisseau
cdt La Malonine
Fleuriot
Peter
Quachi
Wouaka

Capitaine au long cours
cdt le Brick de Marseille,
l'Aigle
Signé Provençal, comme témoin

Vu et approuvé, le capitaine de corvette
Cdt la station des côtes occidentales d'Afrique

Bouët

Document 2 : Acte général dressé a Berlin le 26 février 1885 entre la France, l'Allemagne, l'Autriche-Hongrie, la Belgique, le Danemark, l'Espagne, les États-unis, la Grande-Bretagne, l'Italie, les Pays-bas, le Portugal, la Russie, la Suède, la Norvège et la Turquie, pour régler la liberté du commerce dans

LES BASSINS DU CONGO ET DU NIGER, AINSI QUE LES OCCU-
PATIONS NOUVELLES DE TERRITOIRES SUR LA CÔTE OCCIDEN-
TALE D'AFRIQUE.

Au nom de Dieu Tout-Puissant,
S. M. l'Empereur d'Allemagne, Roi de Prusse; S. M. l'Empereur d'Autriche, Roi de Bohême, etc., et Roi apostolique de Hongrie; S. M. le Roi des Belges; S. M. le Roi de Danemark; S. M. le Roi d'Espagne; le Président des Etats-Unis d'Amérique; le Président de la République Française; S. M. la Reine du Royaume-Uni de la Grande-Bretagne et d'Irlande, Impératrice des Indes; S. M. le Roi d'Italie; S. M. le Roi des Pays-Bas, Grand-Duc de Luxembourg, etc.; et S. M. le Roi de Portugal et des Algarves, etc.; S. M. l'Empereur de toutes les Russies; S. M. le Roi de Suède et Norvège, etc.; et S. M. l'Empereur des Ottomans.
Voulant régler, dans un esprit de bonne entente mutuelle, les conditions les plus favorables au développement du commerce et de la civilisation dans certaines régions de l'Afrique, et assurer à tous les peuples les avantages de la libre navigation sur les deux principaux fleuves africains qui se déversent dans l'océan Atlantique; désireux d'autre part, de prévenir les malentendus et les contestations que pourraient soulever à l'avenir les prises de possession nouvelles sur les côtes d'Afrique, et préoccupés en même temps des moyens d'accroître le bien-être moral et matériel des populations indigènes, ont résolu, sur l'invitation qui leur a été adressée par le Gouvernement Impérial d'Allemagne, d'accord avec le Gouvernement de la République Française, de réunir à cette fin une Conférence à Berlin, et ont nommé pour leurs Plénipotentiaires, savoir :
S. M. l'Empereur d'Allemagne, Roi de Prusse : le Sieur Othon, Prince de Bismarck, Son Président du Conseil des Ministres de Prusse, Chancelier de l'Empire; le Sieur Paul, Comte de Hatzfeldt, Son Ministre d'Etat et Secrétaire d'Etat au département des Affaires étrangères; le Sieur Auguste Busch, Son Conseiller Intime actuel de légation et Sous-Secrétaire d'Etat au Département des Affaires étrangères; et le Sieur Henri de Kusserow, Son Conseiller intime de légation au Département des Affaires étrangères;
S. M. l'Empereur d'Autriche, Roi de Bohême, etc., et Roi apostolique de Hongrie : le Sieur Emeric, Comte

Széchényi, de Sàrvàri-Felso-Vidék, Chambellan et
Conseiller Intime actuel, son Ambassadeur Extraordinaire et Plénipotentiaire près S. M. l'Empereur d'Allemagne, Roi de Prusse;

S. M. le Roi des Belges : le Sieur Gabriel-Auguste,
Comte Van der Straten-Ponthoz, Son Envoyé Extraordinaire et Ministre Plénipotentiaire près S. M. l'Empereur d'Allemagne, Roi de Prusse; et le Sieur Auguste,
baron Lambermont, Ministre d'Etat, Son Envoyé
Extraordinaire et Ministre Plénipotentiaire;

S. M. le Roi de Danemark : le Sieur Emile de Vind,
Chambellan, Son Envoyé Extraordinaire et Ministre Plénipotentiaire près S. M. L'Empereur d'Allemagne, Roi
de Prusse;

S. M. le Roi d'Espagne : Don Francisco Merry y
Colom, Comte de Bonomar, Son Envoyé Extraordinaire
et Ministre Plénipotentiaire près S. M. l'Empereur d'Allemagne, Roi de Prusse;

Le Président des Etats-Unis d'Amérique : le Sieur
John A. Kasson, Envoyé Extraordinaire et Ministre Plénipotentiaire des Etats-Unis d'Amérique près S. M. l'Empereur d'Allemagne, Roi de Prusse; et le Sieur Henry
S. Sanford, ancien Ministre;

Le Président de la République française : le Sieur
Alphonse, Baron de Courcel, Ambassadeur Extraordinaire
et Plénipotentiaire de France près S. M. l'Empereur d'Allemagne, Roi de Prusse;

S. M. la Reine du Royaume-Uni de la Grande-Bretagne et d'Irlande, Impératrice des Indes : Sir Edward,
Baldwin Malet, Son Ambassadeur Extraordinaire et Plénipotentiaire près S. M. l'Empereur d'Allemagne, Roi
de Prusse;

S. M. le Roi d'Italie : le Sieur Edouard, Comte de
Launay, Son Ambassadeur Extraordinaire et Pléni-
potentiaire près S. M. l'Empereur d'Allemagne, Roi de
Prusse;

S. M. le Roi des Pays-Bas, Grand-Duc de Luxembourg, etc. : le Sieur Frédéric-Philippe, Jonkeer Van
der Haeven, Son Envoyé Extraordinaire et Ministre Plénipotentiaire près S. M. l'Empereur d'Allemagne, Roi
de Prusse;

S. M. le Roi de Portugal et des Algarves, etc. : le Sieur
Da Serra Gomos, Marquis De Penafiel, Pair du royaume,
Son Envoyé Extraordinaire et Ministre Plénipotentiaire
près S. M. l'Empereur d'Allemagne, Roi de Prusse; et

le Sieur Antoine de Serpa Pimentel, Conseiller d'Etat et Pair du Royaume.

S. M. l'Empereur de toutes les Russies : le Sieur Pierre, Comte Kapnist, Conseiller privé, Son Envoyé Extraordinaire et Ministre Plénipotentiaire près S. M. le Roi des Pays-Bas ;

S. M. le Roi de Suède et de Norvège, etc., : le Sieur Gillis, Baron Bildt, Lieutenant Général, Son Envoyé Extraordinaire et Ministre Plénipotentiaire près S. M. l'Empereur d'Allemagne, Roi de Prusse ;

S. M. l'Empereur des Ottomans : Méhemed Saïd Pacha, Vizir et Haut Dignitaire, Son Ambassadeur Extraordinaire et Plénipotentiaire près S. M. l'Empereur d'Allemagne, Roi de Prusse.

Lesquels, munis de pleins pouvoirs, qui ont été trouvés en bonne et due forme, ont successivement discuté et adopté :

1º Une Déclaration relative à la liberté du commerce dans le bassin du Congo, ses embouchures et pays circonvoisins, avec certaines dispositions connexes ;

2º Une Déclaration concernant la traite des esclaves et les opérations qui, sur terre ou sur mer, fournissent des esclaves à la traite ;

3º Une Déclaration relative à la neutralité des territoires compris dans le bassin conventionnel du Congo ;

4º Un Acte de navigation du Congo, qui, en tenant compte des circonstances locales, étend à ce fleuve, à ses affluents et aux eaux qui leur sont assimilées, les principes généraux énoncés dans les articles 108 à 116 de l'Acte final du Congrès de Vienne et destinés à régler, entre les Puissances signataires de cet Acte, la libre navigation des cours d'eau navigables qui séparent ou traversent plusieurs Etats, principes conventionnellement appliqués depuis à des fleuves de l'Europe et de l'Amérique, et notamment au Danube, avec les modifications prévues par les traités de Paris de 1856, de Berlin de 1878, et de Londres de 1871 et de 1883 ;

5º Un Acte de navigation du Niger qui, en tenant également compte des circonstances locales, étend à ce fleuve et à ses affluents les mêmes principes inscrits dans les articles 108 à 116 de l'Acte final du Congrès de Vienne ;

6º Une Déclaration introduisant dans les rapports internationaux des règles uniformes relatives aux occupations qui pourront avoir lieu à l'avenir sur les côtes du continent africain.

Et ayant jugé que ces différents documents pourraient être utilement coordonnés en un seul instrument, les ont réunis en un Acte général composé des articles suivants :

CHAPITRE I. — *Déclaration relative à la liberté du commerce dans le bassin du Congo, ses embouchures et pays circonvoisins, et dispositions connexes.*

ARTICLE 1er. — Le commerce de toutes les nations jouira d'une complète liberté :

1° Dans tous les territoires constituant le bassin du Congo et de ses affluents. Ce bassin est délimité par les crêtes des bassins contigus, à savoir, notamment : les bassins du Niari, de l'Ogowé, du Schari et du Nil, au nord; par la ligne de faîte orientale des affluents du lac Tanganyika, à l'est; par les crêtes des bassins du Zambèze et de la Logé, au sud. Il embrasse, en conséquence, tous les territoires drainés par le Congo et ses affluents, y compris le lac Tanganyika et ses tributaires orientaux;

2° Dans la zone maritime s'étendant sur l'océan Atlantique depuis le parallèle situé par 2° 30′ de latitude Sud jusqu'à l'embouchure de la Logé.

La limite septentrionale suivra le parallèle situé par 2° 30′ depuis la côte jusqu'au point où il rencontre le bassin géographique du Congo, en évitant le bassin de l'Ogowé, auquel ne s'appliquent pas les stipulations du présent acte.

La limite méridionale suivra le cours de la Logé jusqu'à la source de cette rivière et se dirigera de là vers l'est jusqu'à la jonction avec le bassin géographique du Congo;

3° Dans la zone se prolongeant à l'est du bassin du Congo, tel qu'il est délimité ci-dessus jusqu'à l'océan Indien, depuis le cinquième degré de latitude Nord jusqu'à l'embouchure du Zambèze au sud; de ce point la ligne de démarcation suivra le Zambèze jusqu'à cinq milles en amont du confluent de Shiré et continuera par la ligne de faîte séparant les eaux qui coulent vers le lac Nyassa des eaux tributaires du Zambèze, pour rejoindre enfin la ligne de partage des eaux du Zambèze et du Congo.

Il est expressément entendu qu'en étendant à cette zone orientale le principe de la liberté commerciale, les Puissances représentées à la Conférence ne s'engagent que pour elles-mêmes et que ce principe ne s'appliquera aux territoires appartenant actuellement à quelque Etat indépendant et souverain qu'autant que celui-ci y donnera son consentement. Les Puissances conviennent d'employer leurs bons offices auprès des Gouvernements établis sur le littoral africain de la mer des Indes afin d'obtenir ledit consentement et, en tout cas, d'assurer au transit de toutes les nations les conditions les plus favorables.

ART. 2. — Tous les pavillons sans distinction de nationalité, auront libre accès à tout le littoral des territoires énumérés ci-dessus, aux rivières qui s'y déversent dans la mer, à toutes les eaux du Congo et de ses affluents, y compris les lacs, à tous les ports situés sur les bords de ces eaux, ainsi qu'à tous les canaux qui pourraient être creusés à l'avenir dans le but de relier entre eux les cours d'eau ou les lacs compris dans toute l'étendue des territoires décrits à l'article 1er. Ils pourront entreprendre toute espèce de transports et exercer le cabotage maritime et fluvial ainsi que la batellerie sur le même pied que les nationaux.

ART. 3. — Les marchandises de toute provenance importées dans ces territoires, sous quelque pavillon que ce soit, par la voie maritime ou fluviale ou par celle de terre, n'auront à acquitter d'autres taxes que celles qui pourraient être perçues comme une équitable compensation de dépenses utiles pour le commerce et qui, à ce titre, devront être également supportées par les nationaux et par les étrangers de toute nationalité.

Tout traitement différentiel est interdit à l'égard des navires comme des marchandises.

ART. 4. — Les marchandises importées dans ces territoires resteront affranchies de droit d'entrée et de transit.

Les Puissances se réservent de décider, au terme d'une période de vingt années, si la franchise d'entrée sera ou non maintenue.

ART. 5. — Toute puissance qui exerce ou exercera des droits de souveraineté dans les territoires susvisés ne pourra y concéder ni monopole ni privilège d'aucune espèce en matière commerciale.

Les étrangers y jouiront indistinctement, pour la protection de leurs personnes et de leurs biens, l'acquisition et la transmission de leurs propriétés mobilières et immobilières et pour l'exercice des professions, du même traitement et des mêmes droits que les nationaux.

ART. 6. — Dispositions relatives à la protection des indigènes, des missionnaires et des voyageurs, ainsi qu'à la liberté religieuse. Toutes les Puissances exerçant des droits de souveraineté ou une influence dans lesdits tertitoires s'engagent à veiller à la conservation des populations indigènes et à l'amélioration de leurs conditions morales et matérielles d'existence et à concourir à la suppression de l'esclavage et surtout de la traite des noirs; elles protégeront et favoriseront, sans distinction de nationalités ni de cultes, toutes les institutions et entreprises religieuses, scientifiques ou charitables créées et organisées à ces fins ou tendant à instruire les indigènes et à leur faire comprendre et apprécier les avantages de la civilisation.

Les missionnaires chrétiens, les savants, les explorateurs, leurs escortes, avoirs et collections seront également l'objet d'une protection spéciale.

La liberté de conscience et la tolérance religieuse sont expressément garanties aux indigènes comme aux nationaux et aux étrangers. Le libre et public exercice de tous les cultes, le droit d'ériger des édifices religieux et d'organiser des missions appartenant à tous les cultes ne seront soumis à aucune restriction ni entrave.

ART. 7. — Régime postal. La Convention de l'Union postale universelle, révisée à Paris le 1er juin 1878, sera appliquée au bassin conventionnel du Congo.

Les Puissances qui y exercent ou exerceront des droits de souveraineté ou de protectorat s'engagent à prendre, aussitôt que les circonstances le permettront, les mesures nécessaires pour l'exécution de la disposition qui précède.

ART. 8. — Droit de surveillance attribué à la Commission internationale du Congo. Dans toutes les parties du territoire visé par la présente Déclaration où aucune Puissance n'exercerait des droits de souveraineté ou de protectorat, la Commission Internationale de la navigation du Congo, instituée en vertu de l'article 17, sera chargée de surveiller l'application des principes proclamés et consacrés par cette Déclaration.

Pour tous les cas où des difficultés relatives à l'application des principes établis par la présente déclaration viendraient à surgir, les Gouvernements intéressés pourront convenir de faire appel aux bons offices de la Commission internationale, en lui déférant l'examen des faits qui auront donné lieu à ces difficultés.

CHAPITRE II. — Déclaration
concernant la traite des esclaves.

ART. 9. — Conformément aux principes du droit des gens tels qu'ils sont reconnus par les Puissances signataires, la traite des esclaves étant interdite, et les opérations qui sur terre ou sur mer, fournissent des esclaves à la traite devant être également considérées comme interdites, les Puissances qui exercent ou qui exerceront des droits de souveraineté ou une influence dans les territoires formant le bassin conventionnel du Congo, déclarent que ces territoires ne pourront servir ni de marché ni de voie de transit pour la traite des esclaves de quelque race que ce soit. Chacune de ces Puissances s'engage à employer tous les moyens en son pouvoir pour mettre fin à ce commerce et pour punir ceux qui s'en occupent.

CHAPITRE III. — Déclaration relative à la neutralité des territoires compris dans le bassin conventionnel du Congo.

ART. 10. — Afin de donner une garantie nouvelle de sécurité au commerce et à l'industrie et de favoriser, par le maintien de la paix, le développement de la civilisation dans les contrées mentionnées à l'article 1er et placées sous le régime de la liberté commerciale, les Hautes Parties signataires du présent Acte et celles qui y adhéreront par la suite, s'engagent à respecter la neutralité des territoires ou parties de territoires dépendant desdites contrées, y compris les eaux territoriales, aussi longtemps que les Puissances qui exercent ou exerceront des droits de souveraineté ou de protectorat sur ces territoires, usant de la faculté de se proclamer neutres, rempliront les devoirs que la neutralité comporte.

ART. 11. — Dans le cas où une Puissance exerçant des droits de souveraineté ou de protectorat dans les contrées mentionnées à l'article 1er et placées sous le régime de la liberté commerciale, serait impliquée dans une guerre, les Hautes Parties signataires du présent Acte et celles qui y adhéreront par la suite s'engagent à prêter leurs bons offices pour que les territoires appartenant à cette Puissance et compris dans la zone conventionnelle de la liberté commerciale soient, du consentement commun de cette Puissance et de l'autre ou des autres parties belligérantes, placés pour la durée de la guerre sous le régime de la neutralité et considérés comme appartenant à un Etat non belligérant; les parties belligérantes renonceraient, dès lors, à étendre les hostilités aux territoires ainsi neutralisés, aussi bien qu'à les faire servir de base à des opérations de guerre.

ART. 12. — Dans le cas où un dissentiment sérieux, ayant pris naissance au sujet ou dans les limites des territoires mentionnés à l'article 1er et placés sous le régime de la liberté commerciale, viendrait à s'élever entre les Puissances signataires du présent Acte ou des Puissances qui y adhéreraient par la suite, ces Puissances s'engagent, avant d'en appeler aux armes, à recourir à la médiation d'une ou de plusieurs Puissances amies.

Pour le même cas, les mêmes Puissances se réservent le recours facultatif à la procédure de l'arbitrage.

CHAPITRE IV. — Acte de navigation du Congo.

ART. 13. — La navigation du Congo, sans exception d'aucun des embranchements ni issues de ce fleuve, est et demeurera entièrement libre pour les navires marchands, en charge ou sur lest, de toutes les nations, tant pour le transport des marchandises que pour celui des voyageurs. Elle devra se conformer aux dispositions du présent Acte de navigation et aux règlements à établir en exécution du même Acte.

Dans l'exercice de cette navigation, les sujets et les pavillons de toutes les nations seront traités, sous tous les rapports, sur le pied d'une parfaite égalité, tant pour la navigation directe de la pleine mer vers les ports intérieurs du Congo, et vice versa, que pour le grand et le petit cabotage, ainsi que pour la batellerie sur le parcours de ce fleuve.

En conséquence, sur le parcours et aux embouchures du Congo, il ne sera fait aucune distinction entre les sujets des Etats riverains et ceux des non-riverains, et il ne sera concédé aucun privilège exclusif de navigation, soit à des sociétés ou corporations quelconques, soit à des particuliers.

Ces dispositions sont reconnues par les Puissances signataires comme faisant désormais partie du droit public international.

ART. 14. — La navigation du Congo ne pourra être assujettie à aucune entrave ni redevance qui ne seraient pas exactement stipulées dans le présent acte. Elle ne sera grevée d'aucune obligation d'échelle, d'étape, de dépôt, de rompre charge, ou de relâche forcée.

Dans toute l'étendue du Congo, les navires et les marchandises transitant sur le fleuve ne seront soumis à aucun droit de transit, quelles que soient leur provenance et leur destination.

Il ne sera établi aucun péage maritime ni fluvial basé sur le seul fait de la navigation, ni aucun droit sur les marchandises qui se trouvent à bord des navires. Pourront seuls être perçus des taxes ou droits qui auront le caractère de rétribution pour services rendus à la navigation même, savoir :

1º Des taxes de port pour l'usage effectif de certains établissements locaux tels que quais, magasins, etc.

Le tarif de ces taxes sera calculé sur les dépenses de construction et d'entretien desdits établissements locaux, et l'application en aura lieu sans égard à la provenance des navires ni à leur cargaison;

2º Des droits de pilotage sur les sections fluviales où il paraîtrait nécessaire de créer des stations de pilotes brevetés.

Le tarif de ces droits sera fixe et proportionné au service rendu;

3º Des droits destinés à couvrir les dépenses techniques et administratives, faites dans l'intérêt général de la navigation, y compris les droits de phare, de fanal et de balisage.

Les droits de cette dernière catégorie seront basés sur le tonnage des navires tel qu'il résulte des papiers de bord, et conformément aux règles adoptées pour le bas Danube.

Les tarifs d'après lesquels les taxes et droits énumérés dans les trois paragraphes précédents seront perçus, ne comporteront aucun traitement différentiel et devront être officiellement publiés dans chaque port.

Les Puissances se réservent d'examiner, au bout d'une période de cinq ans, s'il y a lieu de reviser, d'un commun accord, les tarifs ci-dessus mentionnés.

ART. 15. — Les affluents du Congo seront à tous égards soumis au même régime que le fleuve dont ils sont tributaires.

Le même régime sera appliqué aux fleuves et rivières ainsi qu'aux lacs et canaux des territoires déterminés par l'article 1er, paragraphe 2 et 3.

Toutefois les attributions de la Commission internationale du Congo ne s'étendront pas sur lesdits fleuves, rivières, lacs et canaux, à moins de l'assentiment des Etats sous la souveraineté desquels ils sont placés. Il est bien entendu aussi que, pour les territoires mentionnés dans l'article 1er, paragraphe 3, le consentement des Etats souverains de qui ces territoires relèvent demeure réservé.

ART. 16. — Les routes, chemins de fer ou canaux latéraux, qui pourront être établis dans le but spécial de suppléer à l'innavigabilité ou aux imperfections de la voie fluviale sur certaines sections du parcours du Congo, de ses affluents et des autres cours d'eau qui leur sont assimilés par l'article 15, seront considérés, en leur qualité de moyens de communication, comme les dépendances de ce fleuve et seront également ouverts au trafic de toutes les nations.

De même que sur le fleuve, il ne pourra être perçu sur ces routes, chemins de fer et canaux que des péages calculés sur les dépenses de construction, d'entretien et d'administration, et sur les bénéfices dus aux entrepreneurs.

Quant au taux de ces péages, les étrangers et les nationaux des territoires respectifs seront traités sur le pied d'une parfaite égalité.

ART. 17. — Il est institué une Commission internationale chargée d'assurer l'exécution des dispositions du présent Acte de navigation.

Les Puissances signataires de cet Acte, ainsi que celles qui y adhéreront postérieurement pourront, en tout temps ; se faire représenter dans ladite Commission, chacune par un délégué. Aucun délégué ne pourra disposer de plus d'une voix, même dans le cas où il représenterait plusieurs Gouvernements.

Ce délégué sera directement rétribué par son gouvernement.

Les traitements et allocations des agents et employés de la Commission internationale seront imputés sur le produit des droits perçus conformément à l'article 14, § 2 et 3.

Les chiffres desdits traitements et allocations, ainsi que le nombre, le grade et les attributions des agents et employés, seront inscrits dans le compte rendu qui sera adressé chaque année aux Gouvernements représentés dans la Commission internationale.

ART. 18. — Les membres de la Commission internationale, ainsi que les agents nommés par elle, sont investis du privilège de l'inviolabilité dans l'exercice de leurs fonctions. La même garantie s'étendra aux offices, bureaux et archives de la Commission.

ART. 19. — La Commission internationale de navigation du Congo se constituera aussitôt que cinq des puissances signataires du présent Acte général auront nommé leurs délégués. En attendant la constitution de la Commission, la nomination des délégués sera notifiée au Gouvernement de l'Empire d'Allemagne, par les soins duquel les démarches nécessaires seront faites pour provoquer la réunion de la Commission.

La Commission élaborera immédiatement des règlements de navigation, de police fluviale, de pilotage et de quarantaine.

Ces règlements, ainsi que les tarifs à établir par la Commission, avant d'être mis en vigueur, seront soumis à l'approbation des Puissances représentées dans la Commission. Les Puissances intéressées devront faire connaître leur avis dans le plus bref délai possible.

Les infractions à ces règlements seront réprimées par les agents de la Commission internationale là où elle exercera directement son autorité, et ailleurs par la puissance riveraine.

Au cas d'un abus de pouvoir ou d'une injustice de la part d'un agent ou d'un employé de la Commission internationale, l'individu qui se regardera comme lésé dans sa personne ou dans ses droits pourra s'adresser à l'Agent consulaire de sa nation. Celui-ci devra examiner la plainte ; s'il la trouve prima facie raisonnable, il aura le droit de la présenter à la Commission. Sur son initiative, la Commission, représentée par trois au moins de ses membres, s'adjoindra à lui pour faire une enquête touchant la conduite de son agent ou employé. Si l'Agent consulaire considère la décision de la Commission comme soulevant des objections de droit, il en fera un rapport à son Gouvernement, qui pourra recourir aux Puissances représentées dans la Commission et les inviter à se concerter sur les instructions à donner à la Commission.

ART. 20. — La Commission internationale du Congo, chargée, aux termes de l'article 16, d'assurer l'exécution du présent Acte de navigation, aura notamment dans ses attributions :

1º La désignation des travaux propres à assurer la navigabilité du Congo selon les besoins du commerce international.

Sur les sections du fleuve où aucune Puissance n'exercera des droits de souveraineté, la Commission internationale prendra elle-même les mesures nécessaires pour assurer la navigabilité du fleuve.

Sur les sections du fleuve occupées par une Puissance souveraine, la Commission internationale s'entendra avec l'autorité riveraine;

2º La fixation du tarif de pilotage et celle du tarif

général des droits de navigation prévus aux 2e et 3e paragraphes de l'article 14.

Les tarifs mentionnés au premier paragraphe de l'article 14 seront arrêtés par l'autorité territoriale dans les limites prévues audit article.

La perception de ces différents droits aura lieu par les soins de l'autorité internationale ou territoriale pour le compte de laquelle ils sont établis;

3º L'administration des revenus provenant de l'application du paragraphe 2 ci-dessus;

4º La surveillance de l'établissement quarantenaire établi en vertu de l'article 24;

5º La nomination des agents dépendant du service général de la navigation et celle de ses propres employés.

L'institution des sous-inspecteurs appartiendra à l'autorité territoriale sur les sections occupées par une puissance et à la Commission internationale sur les autres sections du fleuve.

La puissance riveraine notifiera à la Commission internationale la nomination des sous-inspecteurs qu'elle aura institués et cette Puissance se chargera de leur traitement.

Dans l'exercice de ses attributions, telles quelles sont définies et limitées ci-dessus, la Commission internationale ne dépendra pas de l'autorité territoriale.

ART. 21. — Dans l'accomplissement de sa tâche, la Commission internationale pourra recourir, au besoin, aux bâtiments de guerre des Puissances signataires de cet Acte et de celles qui y accéderont à l'avenir, sous toute réserve des instructions qui pourraient être données aux commandants de ces bâtiments par leurs Gouvernements respectifs.

ART. 22. — Les bâtiments de guerre des Puissances signataires du présent Acte qui pénètrent dans le Congo sont exempts du payement des droits de navigation, prévus au § 3 de l'article 14; mais ils acquitteront les droits éventuels de pilotage ainsi que les droits de port, à moins que leur intervention n'ait été réclamée par la Commission internationale ou ses agents, aux termes de l'article précédent.

ART. 23. — Dans le but de subvenir aux dépenses techniques et administratives qui lui incombent, la Commission internationale instituée par l'article 17 pourra négocier en son nom propre des emprunts exclusivement gagés sur les revenus attribués à ladite Commission.

Les décisions de la Commission tendant à la conclusion d'un emprunt devront être prises à la majorité des deux tiers des voix. Il est entendu que les Gouvernements représentés à la Commission ne pourront, en aucun cas, être considérés comme assumant aucune garantie, ni contractant aucun engagement ni solidarité à l'égard desdits emprunts, à moins de conventions spéciales conclues par eux à cet effet.

Le produit des droits spécifiés au troisième paragraphe de l'article 14 sera affecté par priorité au service des intérêts et à l'amortissement desdits emprunts, suivant les conventions passées avec les prêteurs.

ART. 24. — Aux embouchures du Congo, il sera fondé, soit par l'initiative des Puissances riveraines, soit par l'intervention de la Commission internationale, un établissement quarantenaire qui exercera le contrôle sur les bâtiments, tant à l'entrée qu'à la sortie.

Il sera décidé plus tard, par les Puissances, si et dans quelles conditions un contrôle sanitaire devra être exercé sur les bâtiments dans le cours de la navigation fluviale.

ART. 25. — Les dispositions du présent Acte de navigation demeureront en vigueur en temps de guerre. En conséquence, la navigation de toutes les nations, neutres ou belligérantes, sera libre, en tout temps, pour les usages du commerce sur le Congo, ses embranchements, ses affluents et ses embouchures, ainsi que sur la mer territoriale faisant face et libre, en tout temps, pour les usages du commerce sur les embouchures de ce fleuve.

Le trafic demeurera également libre, malgré l'état de guerre, sur les routes, chemins de fer, lacs et canaux mentionnés dans les articles 15 et 16.

Il ne sera apporté d'exception à ce principe qu'en ce qui concerne le transport des objets destinés à un belligérant et considérés, en vertu du droit des gens, comme articles de contrebande de guerre.

Tous les ouvrages et établissements créés en exécution du présent Acte, notamment les bureaux de perception et leurs caisses, de même que le personnel attaché d'une manière permanente au service de ces établissements, seront placés sous le régime de la neutralité et, à ce titre, seront respectés et protégés par les belligérants.

CHAPITRE V. — *Acte de navigation du Niger.*

ART. 26. — La navigation du Niger, sans exception d'aucun des embranchements ni issues de ce fleuve, est et demeurera entièrement libre pour les navires marchands, en charge ou sur lest, de toutes les nations, tant pour le transport des marchandises que pour celui des voyageurs. Elle devra se conformer aux dispositions du présent Acte de navigation et aux règlements à établir en exécution du même Acte.

Dans l'exercice de cette navigation, les sujets et les pavillons de toutes les nations seront traités, sous tous les rapports, sur le pied d'une parfaite égalité, tant pour la navigation directe de la pleine mer vers les ports intérieurs du Niger, et vice versa, que pour le grand et le petit cabotage, ainsi que pour la batellerie sur le parcours de ce fleuve.

En conséquence, sur tout le parcours et aux embouchures du Niger, il ne sera fait aucune distinction entre les sujets des États riverains et ceux des non riverains, et il ne sera concédé aucun privilège exclusif de navigation, soit à des sociétés ou corporations quelconques, soit à des particuliers.

Ces dispositions sont reconnues par les Puissances signataires comme faisant désormais partie du droit public international.

ART. 27. — La navigation du Niger ne pourra être assujettie à aucune entrave ni redevance basées uniquement sur le fait de la navigation.

Elle ne subira aucune obligation d'échelle, d'étape, de dépôt, de rompre charge, ou de relâche forcée.

Dans toute l'étendue du Niger, les navires et les marchandises transitant sur le fleuve ne seront soumis à aucun droit de transit, quelle que soit leur provenance ou leur destination.

Il ne sera établi aucun péage maritime ni fluvial basé sur le seul fait de la navigation, ni aucun droit sur les marchandises qui se trouvent à bord des navires. Pourront seuls être perçus des taxes ou droits qui auront le caractère de rétribution pour services rendus à la navigation même. Les tarifs de ces taxes ou droits ne comporteront aucun traitement différentiel.

ART. 28. — Les affluents du Niger seront à tous égards soumis au même régime que le fleuve dont ils sont tributaires.

ART. 29. — Les routes, chemins de fer ou canaux latéraux qui pourront être établis dans le but spécial de suppléer à l'innavigabilité ou aux imperfections de la voie fluviale sur certaines sections du parcours du Niger, de ses affluents et issues seront considérés, en leur qualité de moyens de communication, comme des dépendances de ce fleuve et seront également ouverts au trafic de toutes les nations.

De même que sur le fleuve, il ne pourra être perçu sur ces routes, chemins de fer et canaux, que des péages calculés sur les dépenses de construction, d'entretien et d'administration, et sur les bénéfices dus aux entrepreneurs.

Quant au taux de ces péages, les étrangers et les nationaux des territoires respectifs seront traités sur le pied d'une parfaite égalité.

Art. 30. — La Grande-Bretagne s'engage à appliquer les principes de la liberté de navigation énoncés dans les articles 26, 27, 28, 29, en tant que les eaux du Niger, de ses affluents, embranchements et issues, sont ou seront sous sa souveraineté ou son protectorat.

Les règlements qu'elle établira pour la sûreté et le contrôle de la navigation seront conçus de manière à faciliter autant que possible la circulation des navires marchands.

Il est entendu que rien dans les engagements ainsi pris ne saurait être interprété comme empêchant ou pouvant empêcher la Grande-Bretagne de faire quelques règlements de navigation que ce soit, qui ne seraient pas contraires à l'esprit de ces engagements.

La Grande-Bretagne s'engage à protéger les négociants étrangers de toutes les nations faisant le commerce dans les parties du cours du Niger qui sont ou seront sous sa souveraineté ou son protectorat, comme s'ils étaient ses propres sujets, pourvu toutefois que ces négociants se conforment aux règlements qui sont ou seront établis en vertu de ce qui précède.

Art. 31. — La France accepte sous les mêmes réserves et en termes identiques les obligations consacrées dans l'article précédent, en tant que les eaux du Niger, de ses affluents, embranchements et issues sont ou seront sous sa souveraineté ou son protectorat.

Art. 32. — Chacune des autres Puissances signataires s'engage de même, pour le cas où elle exercerait dans l'avenir des droits de souveraineté ou de protectorat sur quelque partie des eaux du Niger, de ses affluents, embranchements et issues.

Art. 33. — Les dispositions du présent Acte de navigation demeureront en vigueur en temps de guerre. En conséquence, la navigation de toutes les nations, neutres ou belligérantes, sera libre en tout temps pour les usages du commerce sur le Niger, ses embranchements et affluents, ses embouchures et issues, ainsi que sur la mer territoriale faisant face aux embouchures et issues de ce fleuve.

Le trafic demeurera également libre, malgré l'état de guerre, sur les routes, chemins de fer et canaux mentionnés dans l'article 29.

Il ne sera apporté d'exception à ce principe qu'en ce qui concerne le transport des objets destinés à un belligérant et considérés, en vertu du droit des gens, comme articles de contrebande de guerre.

CHAPITRE VI. — Déclaration relative aux conditions essentielles à remplir pour que des occupations nouvelles sur les côtes du continent africain soient considérées comme effectives.

Art. 34. — La Puissance qui, dorénavant, prendra possession d'un territoire sur les côtes du continent africain situé en dehors de ses possessions actuelles, ou qui, n'en ayant pas eu jusque-là, viendrait à en acquérir, et de même la Puissance qui y assumera un protectorat, accompagnera l'Acte respectif d'une notification adressée aux autres Puissances signataires du présent Acte, afin de les mettre à même de faire valoir, s'il y a lieu, leurs réclamations.

Art. 35. — Les Puissances signataires du présent Acte reconnaissent l'obligation d'assurer, dans les territoires occupés par elles, sur les côtes du Continent africain, l'existence d'une autorité suffisante pour faire respecter les droits acquis et, le cas échéant, la liberté du commerce et du transit dans les conditions où elle serait stipulée.

CHAPITRE VII. — Dispositions générales.

Art. 36. — Les Puissances signataires du présent Acte général se réservent d'y introduire ultérieurement et d'un commun accord les modifications ou améliorations dont l'utilité serait démontrée par l'expérience.

Art. 37. — Les Puissances qui n'auront pas signé le présent Acte général pourront adhérer à ses dispositions par un acte séparé.

L'adhésion de chaque Puissance est notifiée, par la voie diplomatique, au Gouvernement de l'Empire d'Allemagne, et par celui-ci à tous les Etats signataires ou adhérents.

Elle emporte de plein droit l'acceptation de toutes les obligations et l'admission à tous les avantages stipulés par le présent Acte général.

ART. 38. — Le présent Acte général sera ratifié dans un délai qui sera le plus court possible et qui, en aucun cas, ne pourra excéder un an.

Il entrera en vigueur pour chaque Puissance à partir de la date où elle l'aura ratifié.

En attendant, les Puissances signataires du présent Acte général s'obligent à n'adopter aucune mesure qui serait contraire aux dispositions dudit Acte.

Chaque Puissance adressera sa ratification au Gouvernement de l'Empire d'Allemagne, par les soins de qui il en sera donné avis à toutes les autres Puissances signataires du présent Acte général.

Les ratifications de toutes les Puissances resteront déposées dans les archives du Gouvernement de l'Empire d'Allemagne. Lorsque toutes les ratifications auront été produites, il sera dressé acte du dépôt dans un protocole qui sera signé par les Représentants de toutes les Puissances ayant pris part à la Conférence de Berlin et dont une copie certifiée sera adressée à toutes ces Puissances.

En foi de quoi, les Plénipotentiaires respectifs ont signé le présent Acte général et y ont apposé leur cachet.

Fait à Berlin, le 26e jour du mois de février 1885.

(L. S.).   V. BISMARCK.
                    BUSCH.
                    V. KUSSEROW.
                    SZECHENYL.
                    Comte Auguste VON DER STRATEN
                        PONTHOZ.
                    Baron LAMBERMONT.
                    E. VIND.
                    Comte DE BENOMAR.
                    John A. KASSON.
                    H. S. SANFORD.
                    Alph. DE COURCEL.
                    Edward B. MALET.
                    LAUNAY.
                    F. P. VAN DER HOEVEN.
                    Marquis DE PENAFIEL.
                    A. DE SERPA PIMENTEL.
                    Comte P. KAPNIST.
                    Gillis BILDT.
                    SAID.

Document 3 : AGREEMENT BETWEEN THE BRITISH AND
GERMAN GOVERNMENTS, RESPECTING AFRICA AND HELI-
GOLAND. BERLIN, 1ST JULY, 1890 (1).

The Undersigned,
Sir Edward Baldwin Malet, Her Britannic Majesty's
Ambassador Extraordinary and Plenipotentiary;
Sir Henry Percy Anderson, Chief of the African Depart-
ment of Her Majesty's Foreign Office;
The Chancellor of the German Empire, General von
Caprivi;
The Privy Councillor in the Foreign Office, Dr. Krauel;
Have, after discussion of various questions affecting the
Colonial interest of Germany and Great Britain, come to
the following Agreement on behalf of their respective
Governments:

East Africa.   German Sphere of Influence.

ARTICLE 1st — In East Africa the sphere in which the
exercise of influence is reserved to Germany is bounded.

German Sphere.   To the North.
River Umba to Victoria Nyanza.

1   To the north by a line which, commencing on the
coast at the north bank of the mouth of the River Umba
(or Wanga), runs direct to Lake Jipé; passes thence along
the eastern side and round the northern side of the lake,
and crosses the River Lumé; after which it passes
midway between the territories of Taveita and Chagga,
skirts the northern base of the Kilimanjaro range, and
thence is drawn direct to the point on the eastern side of
Lake Victoria Nyanza which is intersected by the 1st
parallel of south latitude; thence, crossing the lake on
that parallel, it follows the parallel to the frontier of the
Congo Free State, where it terminates.

Mount Mfumbiro.

It is, however, understood that, on the west side of the
lake, the sphere does not comprise Mount Mfumbiro; if
that mountain shall prove to lie to the south of the selected
parallel, the line shall be deflected so as to exclude it, but

1) The map of Africa by treaty (Hertslet), vol. II, n° 129.

shall, nevertheless, return so as to terminate at the above-named point.

German Sphere. To the South. Rovuma River to Lakes Nyassa and Tanganyika (Stevenson's Road).

2   To the south by a line which, starting on the coast at the northern limit of the Province of Mozambique, follows the course of the River Rovuma to the point of confluence of the Msinje; thence it runs westward along the parallel of that point till it reaches Lake Nyassa; thence striking northward it follows the eastern, northern, and western shores of the lake to the northern bank of the mouth of the River Songwe, it ascends that river to the point of its intersection by the 33rd degree of east longitude; thence it follows the river to the point where it approaches most nearly the boundary of the geographical Congo Basin defined in the 1st Article of the Act of Berlin (N° 17), as marked in the map attached to the 9th Protocol of the Conference.

From that point it strikes direct to the above-named boundary; and follows it to the point of its intersection by the 32nd degree of east longitude; from which point it strikes direct to the point of confluence of the northern and southern branches of the River Kilambo, and thence follows that river till it enters Lake Tanganyika.

Map.   Nyassa-Tanganyika Plateau.

The course of the above boundary is traced in general accordance with a map of the Nyassa-Tanganyika Plateau, officially prepared for the British Government in 1889.

German Sphere.   To the West.
River Kilambo to Congo Free State.

3   To the west by a line which, from the mouth of the River Kilambo to the 1st parallel of south latitude, is conterminous with the Congo Free State.

East Africa.   British Sphere of Influence.

The sphere in which the exercice of influence is reserved to Great Britain is bounded.

British Sphere.   To the South.
River Umba to Congo Free State.

To the south by the above-mentioned line running

from the mouth of the River Umba (or Wanga) to the point where the 1st parallel of south latitude reaches the Congo Free State.

Mount Mfumbiro.

Mount Mfumbiro is included in the sphere.

British Sphere.   To the North.
River Juba to confines of Egypt (Uganda, etc.).

2   To the north by a line commencing on the coast at the north bank of the mouth of the River Juba; thence it ascends that bank of the river and is conterminous with the territory reserved to the influence of Italy in Gallaland and Abyssinia, as far as the confines of Egypt.

British Sphere.   To the West.
Basin of Upper Nile to Congo Free State (Uganda, etc.).

3   To the west by the Congo Free State, and by the western watershed of the basin of the Upper Nile.

Withdrawal by Germany in favour of Great Britain of Protectorate over Witu.

ART. II. — In order to render effective the delimitation recorded in the preceding Article, Germany withdraws in favour of Great Britain her Protectorate over Witu.

Recognition by Great Britain of Sultan of Witu's Sovereignty.

Great Britain engages to recognize the sovereignty of the Sultan of Witu over the territory extending from Kipini to the point opposite the Island of Kwyhoo, fixed as the boundary in 1887.

Withdrawal of German Protectorate over adjoining Coast up to Kismayu, to all other Territories North of Tana, and to Islands of Patta and Manda.

Germany also withdraws her Protectorate over the adjoining coast up to Kismayu, as well as her claims to all other territories on the mainland, to the north of the River Tana, and to the Islands of Patta and Manda.

South West Africa.   German Sphere of Influence.

ART. III. — In South West Africa the sphere in which the exercise of influence is reserved to Germany is bounded.

Namaqualand Damaraland, etc.

1   To the south by a line commencing at the mouth of
the Orange River, and ascending the north bank of that
river to the point of its intersection by the 20th degree
of east longitude.

2   To the east by a line commencing at the above-
named point, and following the 20th degree of east longitude to the point of its intersection by the 22nd parallel
of south latitude, it runs eastward along that parallel to
the point of its intersection by the 21st degree of east
longitude; thence it follows that degree northward to the
point of its intersection by the 18th parallel of south
latitude; it runs eastward along that parallel till it reaches
the River Chobe; and descends the centre of the main
channel of that river to its junction with the Zambesi
where it terminates.

German Access to the Zambesi.

It is understood that under this arrangement Germany
shall have free access from her Protectorate to the Zambesi by a strip of territory which shall at no point be less
than 20 English miles in width.

South West Africa.   British Sphere of Influence.
Bechuanaland, Kalahari, etc.

The sphere in which the exercise of influence is reserved
to Great Britain is bounded to the west and north-west
by the above-mentioned line.

Lake Ngami.

It includes Lake Ngami.

Map.

The course of the above boundary is traced in general
accordance with a map officially prepared for the British
Government in 1889.

Walfisch Bay.

The delimitation of the southern boundary of the British territory of Walfisch Bay is reserved for arbitration,
unless it shall be settled by the consent of the two Powers
within two years from the date of the conclusion of this
Agreement. The two Powers agree that, pending such
settlement, the passage of the subjects and transit of

goods of both Powers through the territory now in dispute shall be free; and the treatment of their subjects in that territory shall be in all equal. No dues shall be levied on goods in transit. Until a settlement shall be effected the territory shall be considered neutral.

Line of Boundary between the British Gold Coast Colony and the German Protectorate of Togo.   Volta Districts.

ART. IV. — In West Africa.

1   The boundary between the German Protectorate of Togo and the British Gold Coast Colony commences on the coast at the marks set up after the negotiations between the Commissioners of the two countries of the 14th and 28th of July, 1886; and proceeds direct northwards to the 6º 10' parallel of north latitude; thence it runs along that parallel westward till it reaches the left bank of the River Aka; ascends the mid-channel of that river to the 6º 20' parallel of north latitude; runs along that parallel westwards to the right bank of the River Dchawe or Shavoe; follows that bank of the river till it reaches the parallel corresponding with the point of confluence of the River Deine with the Volta; it runs along that parallel westward till it reaches the Volta; from that point it ascends the left bank of the Volta till it arrives at the neutral zone established by the Agreement of 1888, which commences at the confluence of the River Dakka with the Volta.

Each Power engages to withdraw immediately after the conclusion of this Agreement all its officials and employés from territory which is assigned to the other Power by the above delimitation.

Gulf of Guinea.   Rio del Rey Creek.

2   It having been proved to the satisfaction of the two Powers that no river exists on the Gulf of Guinea corresponding with that marked on maps as the Rio del Rey, to which reference was made in the Agreement of 1885 (Nº 119), a provisional line of demarcation is adopted between the German sphere in the Cameroons and the adjoining British sphere, which, starting from the head of the Rio del Rey Creek, goes direct to the point, about 9º 8' of east longitude, marked « Rapids » in the British Admiralty chart.

Freedom of Goods from Transit Dues between River Benué and Lake Chad.

ART. V. — It is agreed that no Treaty or Agreement, made by or on behalf of either Power to the north of the River Benué, shall interfere with the free passage of goods of the other Power, without payment of transit dues, to and from the shores of Lake Chad.

Treaties in Territories betwen the Benué and Lake Chad.

All Treaties made in territories intervening between the Benué and Lake Chad shall be notified by one Power to the other.

Lines of Demarcation subject to Modification.

ART. VI. — All the lines of demarcation traced in Articles I to IV shall be subject to rectification by agreement between the two Powers, in accordance with local requirements.

Boundary Commissioners to be Appointed.

It is specially understood that, as regards the boundaries traced in Article IV, Commissioners shall meet with the least possible delay for the object of such rectification.

Non-interference of either Power in Sphere of Influence of the other.

ART. VII. — The two Powers engage that neither will interfere with any sphere of influence assigned to the other by Articles I to IV. One Power will not in the sphere of the other make acquisitions, conclude Treaties, accept sovereign rights or Protectorates, nor hinder the extension of influence of the other.

No Companies or Individuals of either Power to exercise Sovereign Rights in Sphere of Influence of the other.

It is understood that no Companies nor individuals subject to one Power can exercise sovereign rights in a sphere assigned to the other, except with the assent of the latter.

Application of Berlin Act in Spheres of Influence within Limits of Free Trade Zone.

ART. VIII. — The two Powers engage to apply in all the portions of their respective spheres, within the limits of the free zone defined by the Act of Berlin of 1885 (Nº 17), to which the first five articles of that Act are applicable at the date of the present Agreement.

Freedom of Trade.

The provisions of those articles according to which trade enjoys complete freedom;

Navigation of Lakes, Rivers, etc.

The navigation of the lakes, rivers, and canals, and of the ports on those waters is free to both flags;

Differential Duties.   Transport or Coasting Trade.

And no differential treatment is permitted as regards transport or coasting trade;

Duties on Goods.

Goods, of whatever origin, are subject to no dues except those, not differential in their incidence, which may be levied to meet expenditure in the interest of trade;

Transit Dues.

No transit dues are permitted;

Trade Monopolies.

And no monopoly or favour in matters of trade can be granted.

Settlements in Free Trade Zone.

The subjects of either Power will be at liberty to settle freely in their respective territories situated within the free trade zone.

Freedom of Goods from Transit Dues, etc.

It is specially understood that, in accordance with these provisions, the passage of goods of both Powers will be free from all hindrances and from all transit dues between Lake Nyassa and the Congo State, between Lakes Nyassa and Tanganyika, on Lake Tanganyika, and between that lake and the northern boundary of the two spheres.

Trading and Mineral Concessions.
Real Property Rights.

ART. IX. — Trading and mineral concessions, and rights to real property, held by Companies or individuals, subjects of one Power, shall, if their validity is duly established, be recognized in the sphere of the other Power. It is understood that concessions must be worked in accordance with local laws and regulations.

Protection of Missionaries.

ART. X. — In all territories in Africa belonging to, or under the influence of either Power, missionaries of both countries shall have full protection.

Religious Toleration and Freedom.

Religious toleration and freedom for all forms of divine whorship and religious teaching are guaranteed.

Cession to be made by Sultan of Zanzibar to Germany of Possessions on the Mainland and of Island of Mafia.

ART. XI. — Great Britain engages to use all her influence to facilitate a friendly arrangement, by which the Sultan of Zanzibar shall cede absolutely to Germany his Possessions on the mainland comprised in existing Concessions to the German East African Company, and their Dependencies, as well as the Island of Mafia.

It is understood that His Highness will, at the same time, receive an equitable indemnity for the loss of revenue resulting from such cession.

German Recognition of British Protectorate over remaining Dominions of Sultan of Zanzibar, including Islands of Zanzibar and Pemba, and Witu.

Germany engages to recognize a Protectorate of Great Britain over the remaining dominions of the Sultan of Zanzibar, including the Islands of Zanzibar and Pemba, as well as over the dominions of the Sultan of Witu.

Withdrawal of German Protectorate up to Kismayu.

And the adjacent territory up to Kismayu, from which her Protectorate is withdrawn. It is understood that if the cession of the German Coast has not taken place before the assumption by Great Britain of the Protectorate of Zanzibar, Her Majesty's Government will, in assuming the Protectorate, accept the obligation to use all their influence with the Sultan to induce him to make that cession at the earliest possible period in consideration of an equitable indemnity.

ART. XII. — *Cession of Heligoland by Great Britain to Germany.*

EDWARD B. MALET
H. PERCY ANDERSON
V. CAPRIVI
K. KRAUEL

Berlin, 1st July, 1890.

Document 4 : ÉCHANGE DE LETTRES FRANCO-BRITAN-
NIQUES DU 5 AOUT 1890.

The Undersigned, duly authorized by Her Britannic
Majesty's Government, declares as follows:
1.   The Government of Her Britannic Majesty reco-
gnizes the Protectorate of France over the Island of
Madagascar, with its consequences, especially as regards
the exequaturs of British Consuls and Agents, which must
be applied for through the intermediary of the French
Résident General.
In Madagascar the missionaries of both countries shall
enjoy complete protection. Religious toleration, and liberty
for all forms of worship and religious teaching, shall be
guaranteed.
It is understood that the establishment of this Protectorate will not affect any rights or immunities enjoyed by
British subjects in that island.
2.   The Government of Her Britannic Majesty reco-
gnizes the sphere of influence of France to the south of
her Mediterranean possessions, up to a line from Say on
the Niger, to Barruwa on Lake Tchad, drawn in such
manner as to comprise in the sphere of action of the Niger
Company all that fairly belongs to the Kingdom of
Sokoto; the line to be determined by the Commissioners
to be appointed.
The Government of Her Britannic Majesty engages to
appoint immediately two Commissioners to meet at Paris
with two Commissioners appointed by the Government
of the French Republic, in order to settle the details of
the above-mentioned line.   But it is expressly understood
that even in case the labours of these Commissioners
should not result in a complete agreement upon all details
of the line, the Agreement between the two Governments
as to the general delimitation above set forth shall
nevertheless remain binding.

The Commissioners will also be intrusted with the task of determining the respective spheres of influence of the two countries in the region which extends to the west and to the south of the Middle and Upper Niger.

SALISBURY
London, August 5, 1890.

Le Soussigné dûment autorisé par le Gouvernement de la République Française, fait la Déclaration suivante :

1. Le Gouvernement de Sa Majesté Britannique reconnaît le Protectorat de la France sur l'île de Madagascar, avec ses conséquences, notamment en ce qui touche les exequatur des Consuls et Agents Britanniques, qui devront être demandés par l'intermédiaire du Résident Général Français.

Dans l'île de Madagascar, les missionnaires des deux pays jouiront d'une complète protection. La tolérance religieuse, la liberté pour tous les cultes et pour l'enseignement religieux, sont garanties.

Il est bien entendu que l'établissement de ce Protectorat ne peut porter atteinte aux droits et immunités dont jouissent les nationaux anglais dans cette île.

2. Le Gouvernement de Sa Majesté Britannique reconnaît la zone d'influence de la France au sud de ses possessions méditerranéennes, juqu'à une ligne de Say sur le Niger à Barruve sur le lac Tchad, tracée de façon à comprendre dans la zone d'action de la Compagnie du Niger, tout ce qui appartient équitablement (fairly) au Royaume de Sokoto ; la ligne à déterminer par les Commissaires nommés.

Le Gouvernement de Sa Majesté Britannique s'engage à nommer immédiatement deux Commissaires, qui se réuniront à Paris avec deux Commissaires nommés par le Gouvernement de la République Française, dans le but de fixer les détails de la ligne ci-dessus indiquée. Mais il est expressément entendu que, quand même les travaux des Commissaires n'aboutiraient pas à une entente complète sur tous les détails de la ligne, l'accord n'en subsisterait pas moins entre les deux Gouvernements sur le tracé général ci-dessus indiqué.

Les Commissaires auront également pour mission de déterminer les zones d'influence respectives des deux pays dans la région qui s'étend à l'ouest et au sud du moyen et du haut Niger.

WADDINGTON
Londres, le 5 août 1890.

De Clercq, XVIII, p. 578-581.

Document 5 : Exposé des motifs du projet de loi portant approbation de la déclaration additionnelle du 21 mars 1899 a la convention franco-anglaise du 14 juin 1898, présenté au nom de M. Émile Loubet, président de la république française, par M. Delcassé, ministre des affaires étrangères, et par M. Guillain, ministre des colonies.

La Convention conclue le 14 juin 1898 entre la France et la Grande-Bretagne et dont le texte vient de vous être soumis (...), avait réglé la situation respective des deux puissances dans les régions du bassin du Niger. Par contre, les arrangements territoriaux que comportaient nos intérêts dans les territoires au nord, à l'est et au sud du lac Tchad, dont les rives seules nous étaient reconnues, restaient en suspens. Il importait de les faire aboutir pour arriver à créer dans l'Afrique centrale une situation, grâce à laquelle serait close l'ère des rivalités et constitué un état de choses définitif. Il s'agissait de rechercher des combinaisons où chacun pût trouver son avantage. En cas de conflit ou d'opposition des prétentions sur un même point, on devait de même admettre, tout d'abord, qu'il y aurait lieu non pas seulement de procéder à l'examen étroit des titres invoqués de part et d'autre, mais aussi de rechercher de quel côté des intérêts d'ordre supérieur dicteraient la solution à intervenir, sauf à compenser sur d'autres points, et dans le même esprit, la concession consentie.

Nous croyons que l'application de cette méthode aura profité également à chacune des parties, et que, pour sa part, la France aura obtenu ainsi précisément les avantages que revendiquaient pour elle, dans une pétition adressée dans le courant du mois de novembre dernier au Gouvernement, les personnalités les plus compétentes en matière de colonisation africaine. Ce document faisait ressortir la nécessité de nous assurer, avant tout, des communications directes entre nos possessions de l'Afrique du nord, et celles de l'Afrique centrale, notamment du côté du Kanem, du Ouadaï, du Baguirmi, c'est-à-dire dans la zone avoisinant les rives nord, est et sud du lac Tchad. On demandait en même temps avec instance que des missions fussent envoyées dans ces régions pour y affirmer nos droits et y faire prévaloir nos intérêts.

Le programme ainsi tracé tendait à constituer en un bloc compact l'ensemble de nos possessions africaines à l'intérieur desquelles, de l'est à l'ouest, comme du nord au sud, pourrait se créer une chaîne ininterrompue d'échanges et de relations.

Or, l'arrangement que nous venons de conclure donne toute satisfaction à ces vœux.

Un coup d'œil jeté sur la carte ci-jointe montre quels sont, depuis la convention du 14 juin 1898, les avantages territoriaux acquis. Ces résultats, nous les devons en grande partie, il n'est que juste de le rappeler ici, aux efforts persévérants des hardis explorateurs qui se sont voués au développement de notre empire africain. Ceux-là mêmes qui, dans notre domaine ainsi délimité, ne retrouveront pas certains points où ils avaient planté glorieusement notre pavillon, pourront se dire que, si nous n'avons pas été en mesure de nous prévaloir de l'œuvre accomplie par eux, nous n'aurions pas réussi à assurer ailleurs à la France des avantages indispensables.

En examinant les clauses de l'accord, on constate que nous renonçons à acquérir des territoires dans le Bahr el-Ghazal, où nous avions désiré, ainsi que le Gouvernement l'a expliqué à la Chambre, dans la séance du 23 janvier, nous établir surtout pour nous assurer une voie d'accès vers le haut Nil. Or la communication avec ce grand fleuve nous est précisément garantie par le paragraphe 4 de l'arrangement, et dans les plus larges conditions, puisque l'abord nous en est ouvert du 5° au 14° 20′ de latitude nord, soit sur un développement de 70 kilomètres, du sud au nord.

Comme contrepartie, et alors que la Convention de 1898 nous limitait strictement aux rives du Tchad, sans aucun autre développement latéral, nous englobons aujourd'hui le Kanem, le Ouadaï et le Baguirmi, qui constituent en quelque sorte, autour du grand lac central africain, le domaine intermédiaire pour relier nos territoires du Congo à nos possessions du Soudan et de la Méditerranée et constituer l'homogénéité de notre empire africain. Les intérêts prépondérants que nous avons dans ces régions se trouvent donc absolument sauvegardés.

En outre, l'incorporation dans notre zone de l'Ennedi, de l'Ounyanga, du Borkou et du Tibesti, couvre d'une sorte de rempart naturel notre ligne de jonction du Tchad avec la Méditerranée.

Enfin, on ne manquera pas de remarquer que, dans les termes où il est conçu, cet arrangement, tout en mettant fin à une situation délicate et précaire, n'affecte aucune des questions d'ordre plus général afférentes à la vallée du grand fleuve égyptien et que nous avons voulu laisser en dehors des discussions spéciales ouvertes entre deux puissances européennes seulement.

Dans ces conditions, nous croyons pouvoir présenter avec confiance à votre approbation le projet de loi suivant.

De Clercq, XXI, 1897-1900, p. 404-405.

Document 6 : CONVENTION CONCERNANT TERRE-NEUVE ET L'AFRIQUE OCCIDENTALE ET CENTRALE CONCLUE A LONDRES LE 8 AVRIL 1904 ENTRE LA FRANCE ET LA GRANDE-BRETAGNE (APPROUVÉE PAR LA LOI DU 7 DÉCEMBRE 1904 (1) ; ÉCHANGE DES RATIFICATIONS A LONDRES LE 8 DÉCEMBRE 1904; PROMULGUÉE PAR DÉCRET DU 9 DÉCEMBRE (J. OFFICIEL DU 11).

Le Président de la République française et S. M. le Roi du Royaume-Uni de la Grande-Bretagne et d'Irlande et des Territoires Britanniques au-delà des mers, Empereur des Indes, ayant résolu de mettre fin, par un arrangement amiable, aux difficultés survenues à Terre-Neuve, ont décidé de conclure une Convention à cet effet, et ont nommé pour leurs plénipotentiaires respectifs :

Le Président de la République française, Son Exc. M. Paul Cambon, Ambassadeur de la République française près S. M. le Roi du Royaume-Uni de la Grande-Bretagne et d'Irlande et des territoires britanniques au-delà des mers, Empereur des Indes; et

1) Chambre : Discussion et adoption le 12 novembre 1904, urgence déclarée. Rapport présenté le 21 octobre 1904 par M. Fr. Deloncle, annexe 1988.

Sénat : Discussion et adoption les 5, 6 et 7 décembre 1904, urgence déclarée. Rapport présenté par le baron de Courcel, le 2 décembre 1904, annexe 316.

S. M. le Roi du Royaume-Uni de la Grande-Bretagne et d'Irlande et des territoires britanniques au-delà des mers, Empereur des Indes, le Tr. Hon. Henry Charles Keith Petty-Fitzmaurice, marquis de Lansdowne, principal Secrétaire d'Etat de Sa Majesté au département des Affaires étrangères;

Lesquels, après s'être communiqué leurs pleins pouvoirs, trouvés en bonne et due forme, sont convenus de ce qui suit, sous réserve de l'approbation de leurs Parlements respectifs :

ARTICLE 1er. — La France renonce aux privilèges établis à son profit par l'article 13 du traité d'Utrecht, et confirmés ou modifiés par des dispositions postérieures.

ART. 2. — La France conserve pour ses ressortissants, sur le pied d'égalité avec les sujets britanniques, le droit de pêche dans les eaux territoriales sur la partie de la côte de Terre-Neuve comprise entre le cap Saint-Jean et le cap Raye en passant par le Nord; ce droit s'exercera pendant la saison habituelle de pêche finissant pour tout le monde le 20 octobre de chaque année.

Les Français pourront donc y pêcher toute espèce de poisson, y compris la boette, ainsi que les crustacés. Ils pourront entrer dans tout port ou havre de cette côte et s'y procurer des approvisionnements ou de la boette et s'y abriter dans les mêmes conditions que les habitants de Terre-Neuve, en restant soumis aux règlements locaux en vigueur; ils pourront aussi pêcher à l'embouchure des rivières, sans toutefois pouvoir dépasser une ligne droite qui serait tirée de l'un à l'autre des points extrêmes du rivage entre lesquels la rivière se jette dans la mer.

Ils devront s'abstenir de faire usage d'engins de pêche fixes (stake-net and fixed engines) sans la permission des autorités locales.

Sur la partie de la côte mentionnée ci-dessus, les Anglais et les Français seront soumis sur le pied d'égalité aux lois et règlements actuellement en vigueur ou qui seraient édictés, dans la suite, pour la prohibition, pendant un temps déterminé, de la pêche de certains poissons ou pour l'amélioration des pêcheries. Il sera donné connaissance au Gouvernement de la République française des lois et règlements nouveaux, trois mois avant l'époque où ceux-ci devront être appliqués.

La police de la pêche sur la partie de la côte susmentionnée, ainsi que celle du trafic illicite des liqueurs et

de la contrebande des alcools, feront l'objet d'un règle-
ment établi d'accord entre les deux Gouvernements.

ART. 3. — Une indemnité pécuniaire sera allouée par
le Gouvernement de S. M. Britannique aux citoyens
français se livrant à la pêche ou à la préparation du poisson sur le « Treaty Shore », qui seront obligés soit d'abandonner les établissements qu'il y possèdent, soit de renoncer à leur industrie, par suite de la modification apportée
par la présente Convention à l'état de choses actuel.

Cette indemnité ne pourra être réclamée par les intéressés que s'ils ont exercé leur profession antérieurement
à la clôture de la saison de pêche de 1903.

Les demandes d'indemnité seront soumises à un tri-
bunal arbitral composé d'un officier de chaque nation, et,
en cas de désaccord, d'un surarbitre désigné suivant la
procédure instituée par l'article 32 de la Convention de
La Haye. Les détails réglant la constitution du tri-
bunal et les conditions des enquêtes à ouvrir pour mettre
les demandes en état feront l'objet d'un arrangement
spécial entre les deux Gouvernements.

Art. 4. — Le Gouvernement de S. M. Britannique,
reconnaissant qu'en outre de l'indemnité mentionnée
dans l'article précédent, une compensation territoriale est
due à la France pour l'abandon de son privilège sur la
partie de l'île de Terre-Neuve visée à l'article 2, convient
avec le Gouvernement de la République française des
dispositions qui font l'objet des articles suivants.

ART. 5. — La frontière existant entre la Sénégambie et
la colonie anglaise de la Gambie sera modifiée de manière
à assurer à la France la possession de Yarboutenda et des
terrains et points d'atterrissement appartenant à cette
localité.

Au cas où la navigation maritime ne pourrait s'exercer
jusque-là, un accès sera assuré en aval au Gouvernement
français sur un point de la rivière Gambie qui sera reconnu
d'un commun accord comme étant accessible aux bâtiments marchands se livrant à la navigation maritime.

Les conditions dans lesquelles seront réglés le transit
sur la rivière Gambie et ses affluents, ainsi que le mode
d'accès au point qui viendrait à être réservé à la France,
en exécution du paragraphe précédent, feront l'objet
d'arrangement à concerter entre les deux Gouvernements.

Il est, dans tous les cas, entendu que ces conditions
seront au moins aussi favorables que celles du régime
institué par application de l'acte général de la Conférence

africaine du 26 février 1885, et de la Convention franco-anglaise du 14 juin 1898, dans la partie anglaise du bassin du Niger.

ART. 6. — Le groupe désigné sous le nom d'îles de Los, et situé en face de Konakry, est cédé par S. M. Britannique à la France.

ART. 7. — Les personnes nées sur les territoires cédés à la France par les articles 5 et 6 de la présente Convention pourront conserver la nationalité britannique moyennant une déclaration individuelle faite à cet effet, devant l'autorité compétente par elles-mêmes, ou, dans le cas d'enfants mineurs, par les parents ou tuteurs.

Le délai dans lequel devra se faire la déclaration d'option prévue au paragraphe précédent sera d'un an à dater du jour de l'installation de l'autorité française sur le territoire où seront nées lesdites personnes.

Les lois et coutumes indigènes actuellement en vigueur seront respectées autant que possible.

Aux îles de Los, et pendant une période de trente années à partir de l'échange des ratifications de la présente Convention, les pêcheurs anglais bénéficieront, en ce qui concerne le droit d'ancrage par tous les temps, d'approvisionnements et d'aiguade, de réparation, de transbordement de marchandises, de vente de poisson, de descente à terre et de séchage des filets, du même régime que les pêcheurs français, sous réserve, toutefois, par eux de l'observation des prescriptions édictées dans les lois et règlements français qui y seront en vigueur.

ART. 8. — A l'est du Niger, et sous réserve des modifications que pourront y comporter les stipulations insérées au dernier paragraphe du présent article, le tracé suivant sera substitué à la délimitation établie entre les possessions françaises et anglaises par la Convention du 14 juin 1898 :

Partant du point sur la rive gauche du Niger indiqué à l'article 3 de la Convention du 14 juin 1898, c'est-à-dire la ligne médiane du Dallul-Maouri, la frontière suivra cette ligne médiane jusqu'à sa rencontre avec la circonférence d'un cercle décrit du centre de la ville de Sokoto avec un rayon de 160.932 mètres (100 miles). De ce point elle suivra l'arc septentrional de ce cercle jusqu'à un point situé à 5 kilomètres au sud du point d'intersection avec ledit arc de cercle de la route de Dosso à Matankari par Maourédé.

Elle gagnera de là, en ligne droite, un point situé à

20 kilomètres au nord de Konni (Birni-N'Kouni), puis de là, également en ligne droite, un point situé à 15 kilomètres au sud de Maradi, et rejoindra ensuite directement l'intersection du parallèle 13° 20' de latitude nord avec un méridien passant à 70 miles à l'est de la seconde intersection du 14e degré de latitude nord avec l'arc septentrional du cercle précité.

De là, la frontière suivra, vers l'est, le parallèle 13° 20' de latitude nord jusqu'à sa rencontre avec la rive gauche de la rivière Komadougou Ouobé (Komadugu Waube), dont elle suivra le thalweg jusqu'au lac Tchad. Mais si, avant de rencontrer cette rivière, la frontière arrive à une distance de 5 kilomètres de la route de caravane de Zinder à Yo, par Soua Kololoua (Sua Kololua), Adeber et Kabi, la frontière sera tracée à une distance de 5 kilomètres au sud de cette route jusqu'à sa rencontre avec la rive gauche de la rivière Komadougou Ouobé (Komadugu Waube), étant toutefois entendu que, si la frontière ainsi tracée venait à traverser un village, ce village, avec ses terrains, serait attribué au Gouvernement auquel se rattacherait la partie majeure du village et de ses terrains. Elle suivra ensuite, comme ci-dessus, le thalweg de ladite rivière jusqu'au lac Tchad.

De là elle suivra le degré de latitude passant par le thalweg de l'embouchure de ladite rivière jusqu'à son intersection avec le méridien passant à 35' est du centre de la ville de Kouka, puis ce méridien vers le sud jusqu'à son intersection avec la rive sud du lac Tchad.

Il est convenu, cependant, que, lorsque les commissaires des deux Gouvernements qui procèdent en ce moment à la délimitation de la ligne établie dans l'article 4 de la Convention du 14 juin 1898, seront revenus et pourront être consultés, les deux Gouvernements prendront en considération toute modification à la ligne frontière ci-dessus qui semblerait désirable pour déterminer la ligne de démarcation avec plus de précision. Afin d'éviter les inconvénients qui pourraient résulter de part et d'autre d'un tracé qui s'écarterait des frontières reconnues et bien constatées, il est convenu que, dans la partie du tracé où la frontière n'est pas déterminée par les routes commerciales, il sera tenu compte des divisions politiques actuelles des territoires, de façon à ce que les tribus relevant des territoires de Tessaoua-Maradi et Zinder soient, autant que possible, laissées à la France et celles relevant des territoires de la zone anglaise soient, autant que possible, laissées à la Grande-Bretagne.

Il est en outre entendu que, sur le Tchad, la limite sera, s'il est besoin, modifiée de façon à assurer à la France une communication en eau libre en toute saison entre ses possessions du nord-ouest et du sud-est du lac, et une partie de la superficie des eaux libres du lac au moins proportionnelle à celle qui lui était attribuée par la carte formant l'annexe n⁰ 2 de la Convention du 14 juin 1898.

Dans la partie commune de la rivière Komadougou, les populations riveraines auront égalité de droits pour la pêche.

ART. 9. — La présente Convention sera ratifiée, et les ratifications en seront échangées, à Londres, dans le délai de huit mois, ou plus tôt si faire se peut.

En foi de quoi S. E. l'Ambassadeur de la République française près S. M. le Roi du Royaume-Uni de la Grande-Bretagne et d'Irlande et des Territoires Britanniques au-delà des mers, Empereur des Indes, et le principal Secrétaire d'Etat pour les Affaires étrangères de S. M. britannique, dûment autorisés à cet effet, ont signé la présente Convention et y ont apposé leurs cachets.

Fait à Londres, en double expédition, le 8 avril 1904.

(L. S.) Paul CAMBON
(L. S.) LANSDOWNE

De Clercq, XXII, p. 517-521.

PROBLÈMES
ET QUERELLES D'INTERPRÉTATION

I. — LES PARTAGES ET LES PEUPLES AFRICAINS

L'objet de ce livre est le partage de l'Afrique noire entre les Puissances européennes. Mais le lecteur qui voudrait bien comprendre l'expansion impérialiste devrait jeter un coup d'œil sur la trame africaine sur laquelle les Européens ont brodé. Il n'est évidemment pas question d'exposer ici l'histoire de l'Afrique noire au XIXe siècle. M.M. Roland Oliver et Anthony Atmore l'ont fait dans une synthèse rapide et utile, dont la biographie anglaise est sûre. « L'Afrique depuis 1800 », publié en anglais en 1967, a été traduit en 1970. Nous nous bornons ici à quelques remarques très générales, uniquement destinées à rappeler l'existence du problème.

Nul doute que la supériorité de leur armement ait été la cause principale du succès des Européens. Si cependant ce dernier a été aussi rapide, malgré les atouts que la connaissance du terrain et l'adaptation au climat donnaient aux Africains, c'est parce que la conquête coloniale intervint à un moment où l'instabilité des grands Etats africains avait habitué les esprits à de fréquentes mutations politiques.

Une série de partages entre Africains, de gestations de grands empires toujours éphémères avait, de longue date, prédisposé les populations à douter de la pérennité de ces Etats. Dès lors, elles se soumettaient aisément, se révoltaient de même, considéraient les dominations étrangères comme un avatar politique normal. Au lendemain d'un partage qui s'accomplit presque à l'amiable, elles ont pu croire que les blancs échappaient à cette instabilité. La guerre de 1914 à 1918 les a détrompées. C'est pourquoi elle a tant contribué à encourager l'opposition au colonialisme.

Ce n'étaient pas seulement les ethnies qui s'opposaient, ou les fétichistes qui se soumettaient aux musulmans, mais ces derniers qui rivalisaient entre eux. A ne considérer que le Soudan occidental depuis le début du XIXᵉ siècle, on assiste d'abord à la conquête peule du delta intérieur du Niger. Cheikou Ahmadou fonda en 1818, un empire centré sur le Macina et y construisit sa capitale, Hamdallahi. La meilleure explication de cette création se trouve dans la thèse de géographie de M. Jean Gallais : *Le Delta du Niger*, Dakar, 1967 (cf. surtout t. I, chap. III, p. 91 sq.). Cet Etat fut anéanti par El Hadji Omar en 1862. L'Empire toucouleur de ce dernier fut, sous son successeur, Ahmadou, constamment menacé à l'est, par les populations mal soumises de Tombouctou, et, après 1879, à l'ouest, par le développement de l'empire mandingue de Samori. D'autres candidats, tel le Sarakollé Mamadou Lamine, surgirent au cours de la même période. Ces rivalités font que les Européens ne se sont jamais heurtés à un front uni africain, qu'ils n'auraient peut être pas réussi à rompre.

Sur l'empire toucouleur, la bonne et brève synthèse de M. Yves Saint-Martin, *L'Empire toucouleur, 1840-1897*, analyse bien ce type d'état mouvant, inachevé, inégalement organisé, où les rivalités personnelles, religieuses, ethniques ne sont jamais dominées par des intérêts communs ou par un sentiment national opposables au conquérant étranger. M. Yves Person, dans son monumental *Samori, une révolution dyula*, (Dakar 1970), propose des conclu-

sions identiques. Tous ces conquérants, qui ne disposèrent pas, techniquement, des moyens d'organiser de vastes espaces, évoquent dans l'esprit du
lecteur, la parole prêtée à Louis XIV, mais beaucoup
plus vraie encore que dans la France du XVIIIe siècle :
« L'Etat, c'est moi. » Aucun de ces Etats antérieurs
à la colonisation n'a pu se maintenir, sitôt qu'il
dépassait la superficie contrôlable par son chef.
Aucun n'a possédé l'armature bureaucratique et le
réseau de communications rapides, capables de pallier
la médiocrité passagère d'un prince mal doué succé-
dant à un chef prestigieux.

Cette instabilité chronique des structures politiques
a dominé les esprits et sa marque, dans la mentalité
africaine, n'a pas entièrement été effacée par un demi-
siècle de colonisation.

II. LA CONVERSION DE BISMARCK
A LA POLITIQUE COLONIALE

De très nombreux travaux ont tenté d'expliquer la
conversion de Bismarck à la politique coloniale. La
bibliographie, non exhaustive, mais bien choisie et
suffisante, s'en trouve dans le chapitre donné par
M. Henry Ashby Turner Jr. sur « Bismarck's
Imperialist Venture. Anti British in origin ? » à
l'ouvrage collectif dirigé par MM. Gifford et Louis :
« Britain and Germany in Africa ».

On a tour à tour insisté sur les motifs de politique
intérieure ou extérieure et sur la pression des milieux
capitalistes. En politique intérieure, il est certain que
le chancelier, appuyé depuis 1866 sur les nationaux-
libéraux, cherchait, depuis 1881 au moins, à changer
de majorité. La plupart des leaders libéraux étaient
entrés dans l'opposition à la suite des élections de
1881 : ils souhaitaient orienter le Reich vers un
régime parlementaire de type britannique dont le
chancelier ne voulait pas, mais que le prince héritier,
Frédéric, époux de la fille de la reine Victoria, aurait

approuvé. Contre ce « parti anglais », Bismarck
mobilisa les nationalistes.

En politique extérieure, le chancelier désirait se
rapprocher de la France, comme il avait fait de
l'Autriche malgré Sadowa. Dans une étude brillante,
riche en formules à l'emporte-pièce, l'historien
A. J. P. Taylor (« German's first bid for colonies »,
Londres, 1938) montre le chancelier soucieux de ne
pas laisser la France isolée après sa brouille avec
l'Angleterre à cause de l'Egypte. Le moment était
venu de tenter un rapprochement. Celui-ci paraîtrait
d'autant plus sincère que l'Allemagne se serait elle-
même heurtée à l'Angleterre. D'où la recherche d'un
conflit, aussi bien dans le Sud-Ouest africain qu'aux
îles Fidji. « Les colonies allemandes, pense l'auteur,
ont été le sous-produit accidentel d'une entente
franco-germanique avortée. »

Moins subtilement, mais plus vraisemblablement,
on a observé que Bismarck, opportuniste, a pu, après
le traité Makoko, craindre que toutes les côtes
africaines fussent occupées sans que l'Allemagne eût
sa part. Il ne croyait pas, personnellement, à l'avenir
des colonies. Mais il ne voulait pas qu'à l'avenir on
puisse lui reprocher d'avoir laissé passer l'occasion.
Il n'a pas pu, comme la plupart des impérialistes, ne
pas être psychologiquement influencé par cette
« Torschlusspanik » qui ravageait l'Europe.

La pression des milieux économiques ne paraît
pas avoir été décisive. Les historiens de Potsdam ont
beaucoup insisté sur ce point. M. Hans Peter Jeack
en particulier, dans son étude sur « Die Deutsche
Annexion » au Cameroun, publiée dans le premier
volume de Helmuth Stoecker, « Kamerun unter
Deutscher Kolonialherrschaft », insiste sur les liens
entre le conseiller de légation von Kusserow, qui
inspira la politique de Bismarck, et son beau-père le
banquier Adolph von Hansemann, chef de la puis-
sante *Disconto Gesellschaft*. Kusserow était également
en rapports avec l'armateur Woermann de Ham-
bourg et avec Lüderitz.

Non moins orienté, mais beaucoup plus polémique M. Manfred Nussbaum, dans *Vom Kolonial Enthusiasmus zur Kolonialpolitik der Monopole* (Berlin, 1962), analyse l'évolution du capitalisme allemand après 1870, insiste sur l'accord de la grande industrie et des hobereaux en faveur du protectionnisme adopté en 1878, et pense que la politique coloniale a été une tentative pour résoudre les problèmes posés par « les contradictions du capitalisme ». La solution, cependant, déçut, et aboutit au monopole de quelques gros exploiteurs.

M. Turner Jr., dans le chapitre indiqué ci-dessus, attribue au mémoire de Kusserow à Bismarck, du 8 avril 1884, une importance décisive. Si même le chancelier évoluait depuis plus longtemps vers une acceptation de l'expansion coloniale, la révélation que, par le biais des compagnies à charte, on pouvait placer l'Allemagne sans l'engager financièrement, le convainquit. La création des compagnies permettait de « voir venir », de tenter l'expérience coloniale en limitant les risques. La situation acquise en Europe à ce moment par le chancelier, lui permettait d'imaginer même un retrait après échec, dans ce domaine, sans que le prestige de l'Allemagne en souffrît.

III.— SCRAMBLE ET « COURSE AU CLOCHER »

« La course au clocher », traduction du terme anglais de *Steeple-chase*, fut introduite en France en 1834. Dès 1832 Alfred de Musset, dans « A quoi rêvent les jeunes filles », Acte I, scène IV, donne une description précise de ce sport :

« Avez-vous jamais vu les courses d'Angleterre ?
On prend quatre coureurs — quatre chevaux sellés;
On leur montre un clocher, puis on leur dit : Allez!
Il s'agit d'arriver, n'importe la manière
L'un choisit un ravin, — l'autre un chemin battu.

> Celui-ci gagnera s'il ne rencontre un fleuve;
> Celui-là fera mieux, s'il n'a le cou rompu. »

La plus ancienne mention que nous ayons rencontrée du terme dans son acception politique se trouve au début d'un article de Charles Faure, dans la Revue genevoise « L'Afrique explorée et civilisée » du 5 janvier 1884. L'auteur y commente les premières séances de « La conférence de Berlin » et précise : « Dans ces derniers temps, l'entraînement prenait le caractère d'une vraie course au clocher. C'était, semble-t-il, à qui arriverait le premier à hisser son pavillon sur tel ou tel point de la côte d'Afrique non encore possédé par une des nations de l'Europe. »

Jules Ferry, dans le premier chapitre, intitulé « Cinq ans après » de son livre de 1890 sur « Le Tonkin et la mère patrie », écrivit : « Un mouvement irrésistible emporte les grandes nations européennes à la conquête des terres nouvelles. C'est comme une immense *steeple-chase* sur la route de l'inconnu... Cette course au clocher date de cinq ans à peine, et, d'année en année, se précipite, comme poussée par la vitesse acquise... » Cela nous ramène donc aussi à 1885. Mais le terme a dû être utilisé auparavant, au moins en 1884, quand Faure rédigea son article publié en janvier 85. A ce moment l'image correspondait bien à la réalité : les quatre coureurs étaient la France, Léopold, l'Allemagne et l'Angleterre; le clocher se trouvait au Congo.

L'origine de la rivalité remonterait, selon MM. Robinson et Gallagher, qui attachent une importance majeure à la rupture de l'entente franco-britannique en Egypte, ou selon M. Stengers, qui ne pense pas que l'Egypte ait exercé à ce moment une influence décisive sur les affaires congolaises, selon nous-même enfin, à la suite de travaux sur la mission que Brazza s'était donnée au Congo, à 1882.

L'accord des historiens sur la responsabilité de la France qui donna le départ de la course, et sur la date — 1882 — semblait unanime, quand, en 1969,

MM. C. W. Newbury et A. S. Kanya-Forstner publièrent dans le *Journal of African History* (t. X, p. 253-276) un brillant article intitulé : « French policy and the origins of the scramble for West Africa ». Ce texte est fondamental, même si on n'en adopte pas les conclusions, parce qu'il donne une bibliographie exhaustive de la question, qu'il se réfère à de nombreux documents souvent inédits, bref qu'il fournit aux intéressés la synthèse sur l'état du problème en 1969. Nous utiliserons donc cette excellente base de départ pour proposer une paix de compromis aux deux partis en présence.

MM. Newburry et Kanya-Forstner opèrent en somme un déplacement dans le temps et dans l'espace. Le « scramble », expression anglaise de la course au clocher, aurait en réalité commencé non en 1882, mais trois années auparavant, en 1879, et se serait livré, non au Congo mais en Afrique occidentale. Et, bien sûr, les arguments convaincants ne leur manquent pas. M. Kanya-Forstner n'a qu'à puiser dans l'abondante documentation de sa remarquable thèse *The conquest of the Western Sudan;* M. Newbury est un des meilleurs connaisseurs de l'histoire et de l'évolution économique de l'Afrique occidentale. Nul doute que la rivalité franco-britannique y ait été ancienne, qu'elle remonte peut-être au début du XIXe siècle, au moins à Faidherbe et qu'elle ait été accentuée à partir de 1879, quand Brière de Lisle et Rowe s'opposèrent dans l'affaire de Matacong, et quand l'opinion publique s'intéressa au chemin de fer transsaharien. Toute cette histoire est admirablement exposée dans l'article du *Journal of African History* et les auteurs démontrent que, si jusqu'à l'ouverture de la question d'Egypte en 1882, les deux gouvernements cherchèrent toujours à éviter le conflit, le scramble n'en existait pas moins. La ratification par la France du traité Makoko n'aurait fait que créer « un nouveau front ».

Mais un front contre qui ? Assurément pas contre les Anglais. Si ces derniers avaient été aussi actifs au

Congo qu'en Afrique occidentale, il est peu probable que Duclerc, président du conseil et ministre des Affaires étrangères, aurait fait ratifier le traité Makoko, malgré la répugnance de son collègue de la Marine, l'amiral Jauréguiberry.

Le seul présent était l'Association Internationale du Congo, organisme privé qu'aucune Puissance n'avait encore reconnu, et qui ne constituait pas un adversaire dans un conflit diplomatique. C'est parce que la France ne s'y opposait à aucune autre Puissance, que Duclerc crut pouvoir satisfaire l'opinion publique, et ce faisant, donner le départ à la course au clocher.

A la *course au clocher*, non au *scramble*. Les deux termes n'ont, en effet, pas exactement le même sens. Course au clocher apparaît, dans le vocabulaire politique, beaucoup plus tard que scramble. Si le terme anglais peut s'appliquer aussi bien à une rivalité plus ancienne, franco-britannique, anglo-portugaise ou autre, qu'à la ruée générale sur l'Afrique, consécutive aux interventions de Léopold et de Bismarck, l'expression française est limitée à la rivalité internationale postérieure au traité Makoko. Le *scramble* franco-britannique en Afrique occidentale remonte bien à 1879, et peut-être au-delà. La *course au clocher*, internationale, au Congo et au Tchad, date de 1882, et s'étendra par la suite à d'autres régions.

La querelle peut paraître un peu byzantine. Sur le fond, la responsabilité de la France, tout le monde est d'accord. La discussion, à trois ans près, sur la date, semblera vaine.

IV. — LE MYTHE DU PARTAGE DE BERLIN

L'idée que la Conférence de Berlin a partagé l'Afrique est aujourd'hui trop répandue pour qu'on ne cherche pas à en rechercher l'origine et à préciser les termes du débat.

L'origine semble relativement tardive. Il semble bien que, jusqu'à la première guerre mondiale, les historiens n'aient pas attribué beaucoup d'importance à cette réunion de diplomates. Dans la grande « Histoire Générale du IVe siècle à nos jours » publiée sous la direction d'Ernest Lavisse et d'Alfred Rambaud (Paris, A. Colin, 1893-1903, 12 vol. 8º), au t. XII « Le monde contemporain 1870-1890 », R. de Caix de St.-Aymour, auteur du chapitre sur « Le Partage de l'Afrique », insista, en effet, p. 934, sur la création, par des négociations poursuivies en dehors de la Conférence, de l'Etat Indépendant, qui adhéra le 23 février 1885 à l'Acte général de la conférence. « Et le nouvel Etat créé en Afrique, poursuivit l'auteur, devait avoir une autre vitalité que l'Acte de Berlin lui-même. Ce dernier est resté, presque sur tous les points, une solennelle mais vaine manifestation de bonne volonté diplomatique. Il avait stipulé la liberté commerciale absolue dans le bassin du Congo délimité d'une manière conventionnelle, mais l'Etat Indépendant y établit des monopoles de fait. Il avait décidé que la navigation serait libre sur le Niger comme sur le Congo, et on sait quel sort la compagnie royale du Niger a fait à cette clause. Enfin l'acte de Berlin édictait diverses procédures pour l'occupation de territoires africains, ou pour l'arbitrage en cas de disputes, mais en ces diverses matières, il est presque toujours resté lettre morte. »

Les contemporains n'ont, en général, pas fait grand cas de l'Acte. Dans un petit article de la revue belge « Zaïre » intitulé « A propos de l'Acte de Berlin, ou Comment naît une légende... » (Bruxelles, oct. 1953, p. 839-844) M. Jean Stengers constate qu'à l'époque, les diplomates, Emile Banning, qui rédigea en juin 1885 ses « Mémoires politiques et diplomatiques » publiés en 1924, Sir Edward Malet, ambassadeur d'Angleterre, et autres, pensaient que l'Acte ne changeait rien à la situation préexistante. Cherchant l'origine de la légende qui se répandit en France, M. Stengers cite R. Ronze, « La question

d'Afrique », Paris, 1918, 8°, qui écrivit, p. 185 : « Les
diplomates s'étaient peu à peu ralliés à la doctrine
allemande de l'*Hinterland* qui admettait que toute
puissance européenne établie sur la côte avait des
droits spéciaux sur les populations de l'intérieur et
pouvait reculer indéfiniment les frontières de ses
possessions jusqu'à ce qu'elle rencontrât une zone
d'influence voisine ou un Etat organisé. » Cette
énormité a été textuellement recopiée dans le livre
de vulgarisation de R. et M. Cornevin, « Histoire de
l'Afrique », Paris, Petite bibliothèque Payot, 1964,
p. 300.

Entre-temps, Georges Hardy, dans « Vue générale
de l'histoire de l'Afrique », Paris 1922, p. 129, puis
dans le livre de la sérieuse collection de « l'Evolution
de l'Humanité », « La politique coloniale et le partage
de la Terre aux XIXe et XXe siècles », Paris, 1937, p. 194-
195, affirme également que l'Acte de Berlin proclama
la doctrine de l'Hinterland. La même année dans la
collection qui fait autorité, de « Peuples et Civilisations », M. Maurice Baumont publia « L'essor
industriel et l'impérialisme colonial ». Il y affirma,
p. 97-98, que l'Acte de Berlin, en reconnaissant le
droit de l'Hinterland et en exigeant l'occupation,
posait « la théorie des sphères d'influence ». On
retrouve la même idée, sous la plume de G. Hardy,
dans le volume de la collection Clio, destinée au
étudiants, publié en 1939 par P. Renouvin, E. Préclin
et G. Hardy : « L'époque contemporaine, II : La
paix armée et la grande guerre 1871-1919 », puis dans
plusieurs « Que sais-je ? » : Ch.-André Julien :
« Histoire de l'Afrique », Paris, 1942, p. 108 : « Pour
la première fois on fixa les règles du nouvel impérialisme : toute puissance installée sur la côte pourrait
revendiquer l'Hinterland... Ainsi s'affirma la théorie
des zones d'influence qui, permit le partage de
l'Afrique. » H. Deschamps « L'éveil politique africain », Paris, 1952, p. 40 : « La Conférence de Berlin
décida... que la côte donnait droit à l'arrière-pays. »
X. Yacono, « Histoire de la colonisation française »,

Paris 1969, p. 52 : La Conférence de Berlin reconnaît « au possesseur de la côte un droit à l'Hinterland ».

Dans « L'expansion coloniale de la France sous la Troisième République », Paris, 1969, p. 119, M. Jean Ganiage enseigne que « l'Acte de Berlin élaborait un code international en vue du partage de l'Afrique... En matière d'installation coloniale, le congrès énonçait deux grands principes : Un Etat civilisé occupant une région de la côte africaine avait droit à l'intérieur du pays, mais seule l'occupation effective pouvait justifier du droit à la conquête... »

Ces références ne visent pas à censurer tel ou tel auteur. Tout historien professionnel sait bien qu'il ne peut éviter, malgré ses efforts et son scrupule, de fréquentes erreurs. Nous en avons souvent commises, et nos collègues nous en signaleront sans doute dans ce petit livre. Seuls les ouvrages réédités « revus et corrigés », en sont exempts. M. Jean-Claude Nardin, qui a bien voulu relire notre manuscrit, nous en a révélé plusieurs, et nous lui en sommes particulièrement reconnaissants. Si nous reprenons ce débat sur la Conférence de Berlin, c'est parce qu'il présente un intérêt plus général, sur la formation des mythes dans l'opinion publique.

Il semble, en somme, que, depuis une cinquantaine d'années, la tendance ait été de polariser sur la Conférence de Berlin toutes les critiques que les événements postérieurs à celle-ci ont soulevées contre l'impérialisme. Le fait s'explique par la solennité de la conférence internationale, par le slogan du partage, et par l'image qu'il évoque de diplomates réunis devant la carte de l'Afrique pour dépecer ce continent. Il est d'ailleurs indiscutable que Berlin a beaucoup accéléré le partage, et, si l'on considère les événements qui suivirent, 1885 représente bien le point de départ de la ruée vers l'intérieur du continent. Mais précisément, dans le débat entre ceux qui défendent la thèse du partage et ceux qui la réfutent, la différence vient de l'époque à laquelle ils se situent pour apprécier l'importance de la Conférence. Ceux qui jugent rétrospectivement, depuis nos jours, constatent l'accélération, et considèrent les apparentes précautions des diplomates contre le partage comme des hypocrisies. Ils prêtent à tous les membres de la Conférence les mêmes arrière-pensées, les mêmes convictions et les mêmes intentions. Ils interprètent l'Acte général, non selon la lettre, mais selon un certain esprit.

L'historien qui, au contraire, se place aussi au niveau de l'événement, et cherche à l'expliquer en ignorant ce qui suivit et que les contemporains ne pouvaient pas connaître, en juge autrement. A ses yeux l'Acte général peut apparaître comme un effort aussi bien pour freiner le partage, que pour l'accélérer.

Les diplomates habitués à considérer l'Afrique noire sous le seul aspect du commerce côtier, ne se passionnaient pas pour l'intérieur du « continent mystérieux ». Ils ont pu espérer qu'en limitant aux côtes leur réglementation, en refusant d'officialiser la doctrine de l'Hinterland, que la plupart des juristes condamnaient, voire en créant ce monstrueux Etat Indépendant, alourdi d'une réglementation de la navigation que l'on n'aurait pas si longuement discutée si l'on n'avait pas cru à son application, ils retardaient le moment où les gouvernements seraient obligés à de lourdes dépenses pour l'occupation de nouveaux territoires.

La lettre de l'Acte général n'autorise pas à parler d'un partage de Berlin. Son esprit ne le permet qu'en interprétant les silences de ses rédacteurs, qui n'étaient évidemment pas tous du même avis. Nous avons choisi de nous placer en 1885 et de nous en tenir à la lettre, parce qu'à tenter de sonder les reins et les cœurs pour dégager un esprit, le débat resterait toujours ouvert.

V. — LE PROCÉDÉ DE L'HINTERLAND ET LES ZONES D'INFLUENCE

Le terme de « spheres of influence » apparaît dans l'accord anglo-allemand du 29 avril 1885 (sphère d'action) et dans la correspondance échangée du 29 avril au 16 juin 1886 entre lord Granville et le comte de Münster au sujet de l'accord germano-britannique du 1er novembre 1886. Mais l'idée en est beaucoup plus ancienne. On la rencontre déjà dans les rivalités entre compagnies de commerce au xviiie siècle, dans les accords, par exemple, sur les régions où chacune d'entre elles se réservait le monopole du commerce de l'or, de l'esclave ou de la gomme.

Introduite dans le droit international, la notion de zone d'influence s'est immédiatement et universellement répandue.

Les juristes y ont certes puissamment contribué en la définissant, en la diversifiant, en la justifiant en partie, parce que commode. On trouvera dans la thèse de Droit de Julien Pierrat : « Le Procédé de l'Hinterland » (Nancy, 1906) un exposé superficiel mais propre à orienter les recherches, et une bibliographie succincte. L'ouvrage rappelle d'abord qu'à la suite des travaux de Pufendorf, Vattel, etc., tout le monde était d'accord à la fin du xviiie siècle pour condamner les *occupations fictives*, fondées sur la priorité de la découverte ou sur le pavillon hâtivement hissé, l'inscription gravée sur un rocher, au cours d'une escale éphémère. Jean-Jacques Rousseau résuma la doctrine dans le *Contrat social* en 1762 :

« En général, pour autoriser sur un terrain quelconque, le droit de première occupation, il faut... qu'on en prenne possession, non par une vaine cérémonie, mais par le travail et la culture, seul signe de propriété qui, au défaut de titres juridiques, doive être respecté d'autrui. »

On peut trouver des antécédents à la pratique

impérialiste dans la délimitation de la Louisiane par
les Etats-Unis en 1805. L'occupation de l'embouchure d'un fleuve, pensaient-ils, créait un droit
sur l'ensemble du bassin. Le président John Quincy
Adams invoqua cette thèse dans son message au
Congrès du 28 décembre 1827. Elle se développa
ensuite en une « Doctrine of continuity » (droit de
vicinité) qui autorisait l'Etat installé sur une côte à
étendre son occupation aux terres de l'arrière-pays
formant avec le littoral un « ensemble naturel », ou
encore, aux enclaves situées à l'intérieur de ses possessions (droit d'enclave). Tout cela constituait une
doctrine de l'*hinterland moral*, en général condamnée
par les juristes de l'époque impérialiste, qui la distin-
guaient de l'*hinterland conventionnel* fondé, lui, sur
des traités.

Le synonyme français de l'hinterland conventionnel est la sphère, ou la zone d'influence : « L'essence
de ce procédé, nota Frantz Despagnet, dans un
article sur « Les occupations de territoires et le
procédé de l'hinterland » de la Revue générale de
Droit international de 1894 (p. 109), consiste à fixer
par un accord international une ligne topographique,
en deçà de laquelle chaque pays a le droit d'occupation ou d'établissement de protectorat, à l'exclusion
de l'autre Etat contractant. En retour chaque pays
s'oblige à ne faire aucune tentative d'acquisition de
territoire ou de protectorat, et à ne pas entraver
l'influence de l'autre Etat contractant au-delà de la
ligne fixée. »

Les travaux des juristes justifièrent, après coup, les
traités de partage, soit en notant que l'Acte de Berlin
exigeait l'occupation effective des « occupations »,
non des « protectorats », qu'il suffisait de notifier,
soit en rappelant qu'il ne concernait que les côtes,
soit en proposant des délais assez longs — 25 à 30 ans
— au cours desquels l'occupation deviendrait effective, ou à l'échéance desquels le territoire, toujours
inoccupé, redeviendrait *res nullius*.

On voit que, dans ce foisonnement de principes

nouveaux, le Droit, comme il arrive souvent, est venu
à la rescousse des faits accomplis. Albert de Pou-
vourville, dans son article de la Revue générale de
Droit international de 1899, écrivit : « Une diplomatie
très complaisante vient en aide, par des fictions nouvelles très spécieuses, quoique sans grande valeur de
fond, aux Etats pressés ou en retard sur les autres...
Mise en goût par l'audace d'une Puissance, toute
l'Europe est aujourd'hui à l'emploi de ces conventions et à l'usage de ces formes bizarres qu'il importe
de déterminer, bien qu'il soit difficile d'en apprécier
la solidité et surtout la valeur morale » (p. 115).

L'enquête historique sur l'apparition de ces fictions
très spécieuses dans les revues spécialisées et dans
les journaux, reste à faire. Elle poserait alors le problème de l'influence des opinions publiques sur
l'action des gouvernements.

VI. — OPINION PUBLIQUE ET GROUPES DE PRESSION

Pas de doute sur la carte : l'explosion de l'Europe
a envahi toute l'Afrique noire en un temps record
entre 1880 et 1900. Mais qui est l'Europe ?
— L'Angleterre, la France, l'Allemagne, le Portu-
    gal, la Belgique.
— Mais qui sont-ils eux-mêmes ?

On parle partout et toujours de l'influence de
l'opinion publique sur les gouvernements; leurs
agents ne se sont pas fait faute, au cours de bien des
négociations aussi importantes, par exemple, que
celles des traités de 1890, d'évoquer les positions et
de supputer les réactions de cette opinion : à quoi,
exactement faisaient-ils allusion ? Cela dépend des
cas, l'un pensant à des articles de presse, l'autre
s'inquiétant des débats parlementaires, un troisième
se croyant renseigné par des rapports de police, par
son courrier personnel ou par des conversations
diverses. Il serait probablement impossible de préciser ce que, dans les diverses circonstances, un

Jules Ferry, un Bismarck ou un Salisbury entendaient par ce terme vague d'opinion publique.

Les méthodes récentes de sondage, cependant, ont apporté deux révélations. La première est l'existence des « majorités silencieuses », la seconde, l'extraordinaire ignorance, même de ceux qui ne participaient pas à ce silence. Les majorités silencieuses ne lisent ni les revues spécialisées, ni les journaux d'opinion à faible tirage. Pour les approcher, il faut se borner aux quotidiens à très gros tirage qui reflètent l'opinion autant qu'ils la forment. En France, *Le Matin*, le *Petit Journal*, le *Petit Parisien*, qui tiraient respectivement en 1914 à 900 000, un million et un million et demi d'exemplaires. A les feuilleter, on constate qu'ils ne se livrent pas à des campagnes soigneusement organisées en faveur de causes politiques. Nous avons fait un sondage sur le scandale du Congo en février 1905. Quand *Le Matin* le révèle, le 16 février, son article sur « Les bourreaux des noirs » figure bien en première page, mais à la sixième et dernière colonne. Les deux premières sont occupées par un éditorial vaguement philosophique, d'un niveau affligeant, sur « Le vice humain de rechercher les causes et les effets ». Au centre, avec une grande image de bateaux de guerre, un commentaire sur la bataille navale de Port-Arthur du 10 août précédent, entre Russes et Japonais, et un entrefilet sur l'instruction de l'affaire Syveton. Le *Petit Parisien*, qui s'empare des « scandales coloniaux » dès le 15 février, y revient les jours suivants, mais toujours dans les dernières colonnes de sa première page. Il relate l'affaire en forme de roman policier : Arrestation émouvante de Tocqué, vieille mère en larmes, mutisme du Parquet, interview de l'avocat, « contrariété » au ministère des Colonies ou un « haut fonctionnaire » anonyme reste évasif. Le lecteur de la majorité silencieuse y trouve sa pâture émotionnelle, mais qu'apprend-il ? Aucun des journaux ne publie un croquis, situant le Congo en Afrique, et Krébédjé ou Bangui, lieux des crimes, au Congo.

On se demande alors dans quelle mesure les problèmes coloniaux ont pu pénétrer dans la conscience des masses. Nul doute qu'à cette époque chaque Français savait où était et ce qu'était l'Alsace-Lorraine. Mais le Congo, le Soudan, le Tchad ? Il n'y avait pas, dans l'ensemble de la population, une conviction favorable ou hostile à la colonisation. Il n'y avait qu'ignorance et indifférence.

L'opinion publique se réduirait alors aux lecteurs des journaux d'opinion et surtout des revues spécialisées, à faible tirage, Bulletin du Comité de l'Afrique française, Revue maritime et coloniale, Quinzaine coloniale, etc. Là s'exprimaient non plus ceux qui reflètent l'opinion, mais ceux qui la forment. On passe donc de la notion générale et vague d'opinion publique à celle, beaucoup plus précise de « groupes de pression ». Ces groupes, divers et d'importance très variable, réunissaient des élites. Leurs membres — intellectuels, hommes d'affaires, techniciens, militaires — étaient souvent en relations avec le personnel politique, dont ils faisaient parfois eux-mêmes partie. Ce furent eux qui influencèrent les gouvernements. L'exemple le plus typique qui en ait été récemment étudié est celui des militaires au Soudan. M. Kanya-Forstner a démontré dans « The conquest of the Western Sudan » que la conquête du Soudan a été due à la volonté, à la ténacité, à l'indépendance vis-à-vis du gouvernement de la « clique » militaire.

On a souvent vanté le courage des héros qui, de leur seule initiative, ont « donné » des colonies à la mère patrie. Mais, sans négliger leur rôle, il faut bien constater qu'ils n'ont réussi qu'avec l'appui d'un groupe de pression. Quand Brière de Lisle et Rowe ont mis leurs gouvernements en conflit sur les côtes de Guinée, ces derniers les ont finalement rappelés pour régler la question à l'amiable. M. Hargreaves a bien analysé cette histoire dans son « Prelude to the Partition of West Africa ». De même quand, en 1880, Olivier de Sanderval négocia avec l'almamy du

Fouta-Djalon pour assurer une liaison par voie ferrée entre le haut Sénégal et la côte de Guinée, il échoua parce qu'il était seul.

Quand au contraire, la même année, Brazza signa de sa propre initiative, les traités Makoko que personne ne l'avait chargé de conclure, il avait derrière lui la Société de géographie et le Comité français de l'Association Internationale Africaine, des personnalités comme Lesseps, Quatrefages, le député Georges Perin, etc., que le ministre de la Marine, l'amiral Jauréguiberry, se devait de ménager.

Carl Peters s'est vanté d'être parti seul et malgré le gouvernement du Reich. Mais d'une part les moyens de l'expédition lui avaient été fournis par les souscripteurs de la Société pour la colonisation allemande, et d'autre part, Peters mentait. M. Fritz-Ferdinand Müller a prouvé qu'il avait averti le gouvernement, et que Bismarck, sans l'encourager, ne lui avait pas interdit de tenter l'aventure. Cecil Rhodes disposa d'une énorme fortune pour constituer son groupe et pour imposer une politique, dont les méthodes étaient discutables, mais dont le but ultime — le Cap-Caire — n'était pas contraire aux vœux du gouvernement. Bref, les agents locaux ont su jouer leurs atouts, mais quand ils ont réussi, ce fut parce qu'ils n'étaient pas isolés.

Le rôle essentiel de ces groupes de pression, qui insistèrent tantôt sur les nécessités économiques sans que ces dernières fussent évidentes, comme nous avons tenté de l'établir dans « Mythes et Réalités de l'impérialisme colonial français », tantôt sur l'idéologie nationaliste, comme les pangermanistes, fut de forger les grands mythes de l'impérialisme, de mettre en forme de slogans des programmes d'expansion. Ainsi le « bloc » africain ou eurafricain français lors de la « course au Tchad », la « Mittel Afrika » germanique, constituée par la jonction de l'Afrique orientale et du Cameroun, la réunion, sous l'égide du Portugal, de l'Angola au Mozambique, le Cap-Caire britannique, que, dans un de ses rapports, le capitaine Marchand transformait en « Croix britannique », en soupçonnant les Anglais de vouloir réunir le Soudan égyptien au Nigeria.

Ces programmes extrêmes effrayaient les gouvernements. Ils supposaient des accords internationaux difficiles à conclure, des dépenses considérables. Pour les réaliser, en bouleversant la carte du partage telle qu'elle était dessinée en 1904, il eût fallu s'attaquer aux plus faibles, dépecer les colonies portugaises et belges et en distribuer les morceaux aux plus forts. Le heurt entre Angleterre et Portugal alerta l'opinion, non à cause de l'intérêt que celle-ci témoignait à l'Afrique, mais à cause de la forme, inutilement humiliante, choisie par Salisbury, responsable de l'ultimatum du 11 janvier 1890 (J. A. Hannah, « The Beginnings of Nyassaland... », p. 147-149, et R. J. Hammond, «Portugal and Africa», p. 132). Le projet de partage du 30 août 1898 s'inscrit dans le cadre de la thèse des zones d'influence (Hammond, 253 sq.). M. Willequet a démontré, dans « Le Congo belge et la Weltpolitik », que ces projets restèrent imprécis et que les chancelleries ne les prirent pas au sérieux.

Les efforts des groupes de pression n'influaient pas toujours sur l'opinion publique. Lorsque les événements obligeaient celle-ci à prendre subitement conscience que les initiatives des groupes avaient engagé la nation, la majorité silencieuse s'émouvait. La question posée passait alors brusquement au premier plan de l'actualité. Il en fut ainsi lors de la révolte tunisienne après le traité du Bardo en 1881, lors de la retraite précipitée de Lang Son en 1885, lors du heurt franco-britannique de Fachoda. Dans tous ces cas, l'opinion avait ignoré ce qui était entrepris. M. Roger Glenn Brown, dans son étude *Fashoda reconsidered. The Impact of Domestic Politics on French Policy in Africa 1893-1898*, a bien montré comment l'expédition avait été préparée sous la pression du Comité de l'Afrique française et des militaires. Les gouvernements, axés sur la politique intérieure, n'y avaient pas prêté attention au point d'en délibérer sérieusement en Conseil des ministres.

Si violentes que fussent les réactions de l'opinion, elles s'apaisaient vite. Malgré les longues séances d'interpellations à la Chambre, et les révélations parfois tapageuses de « scandales coloniaux », ces derniers, à la seule exception de la chute de Jules Ferry après Lang Son, ne mirent jamais les ministères en danger.

Le fait saillant semble être qu'une opinion au sens large ne peut être affectée, au même moment, par plusieurs questions. Il y en a toujours une qui domine. On la décèle en consultant d'abord la presse d'information à très grand tirage, ensuite seulement les journaux d'opinion, la littérature et la tradition orale. En France, entre 1870 et 1914, les grands thèmes qui ont tenu l'opinion en haleine, ont été l'Alsace-Lorraine et la laïcité. Leur permanence explique que les autres « émotions » aient été des feux de paille.

BIBLIOGRAPHIE

INTRODUCTION
ET OUVRAGES D'INITIATION GÉNÉRALE

De la masse des études consacrées à l'Afrique avant l'ère impérialiste et à l'histoire des relations internationales émergent, à notre avis, pour une initiation sérieuse :

Roland OLIVER et J. D. FAGE : *A short history of Africa*, Londres, 1962, 16°, Penguin Books.

Donne un aperçu succinct de l'évolution de toute l'Afrique depuis la préhistoire.

Roland OLIVER et Anthony ATMORE : *L'Afrique depuis 1800*, Paris, 1970, 8°, trad. de : *African since 1800*, Cambridge, 1967.

Manuel précieux parce qu'il couvre l'ensemble du continent et l'ensemble colonisation-décolonisation. Nécessairement succinct étant donné son volume.

La bibliographie des ouvrages en français et en allemand laisse à désirer.

J. D. FAGE : *An Atlas of African History*, Londres, 2ᵉ éd., 1963, 4°, est indispensable.

Yves PERSON : *Samori, une révolution dyula*. Dakar, I.F.A.N., t. I, 1968, t. II, 1970, t. III sous presse.

Enorme thèse, précieuse pour les spécialistes. Mine de renseignements sur l'évolution sociale et politique de l'Afrique occidentale précoloniale.

Yves J. SAINT-MARTIN : *L'Empire toucouleur 1848-1897*, Paris, 1970, 8°.

Fondé sur des documents d'archive en grande partie inédits, étudie l'organisation de l'Etat toucouleur et sa désagrégation. Petit livre, illustré, doté d'une chronologie comparée et d'une bibliographie sélectionnée, fait bien comprendre la relative facilité de la conquête impérialiste.

J. D. HARGREAVES, : *Prélude to the partition of West Africa*, Londres, 1963, 8º.

Analyse surtout la rivalité franco-britannique avant la Conférence de Berlin.

Bernard SCHNAPPER : *La politique et le commerce français dans le golfe de Guinée (1838-1871)*, Paris, 1961, 8º, est l'étude la plus fouillée, la mieux documentée, la plus claire qui ait été publiée sur le commerce de la France avec l'Afrique occidentale avant 1870.

Pour les relations internationales on consultera les tomes V et VI, remarquablement clairs et solidement documentés, de l'histoire des relations internationales publiée sous la direction de Pierre Renouvin :

Pierre RENOUVIN : *Le XIXᵉ siècle de 1815 à 1871*. L'Europe des nationalités et l'éveil du nouveau monde, Paris, 1954, 8º. — *Le XIXᵉ siècle de 1871 à 1914*. L'apogée de l'Europe, Paris, 1955, 8º.

Cela ne dispense pas de recourir aux deux ouvrages magistraux, très fouillés et très riches par leur ouverture sur les problèmes économiques, techniques, sociaux et moraux liés à la diplomatie, de :

W. L. LANGER : *The diplomacy of Imperialism*, New York, 2ᵉ éd., 1950, 8º.

R. ROBINSON et J. GALLAGHER : *Africa and the Victorians*, Londres, 1961, 8º.

Décrivent avec beaucoup de finesse et de subtilité les milieux diplomatiques anglais, et pensent que leur activité a été surtout orientée par la défense de la route des Indes et par la question d'Égypte. Sur les controverses soulevées par ce remarquable ouvrage, cf. l'article de Jean Stengers : « L'Impérialisme colonial de la fin du XIXᵉ siècle : Mythe ou Réalité », *Journal of African History*, III, 1962, p. 469-491.

LES DÉBUTS DU PARTAGE

Outre les ouvrages cités en note, et dont émergent ceux de Paul LEROY-BEAULIEU, Agnès MURPHY, W. L. LANGER et A. S. KANYA-FORSTNER, on se reportera utilement aux études de l'ouvrage collectif :

L. H. GANN et Peter DUIGNAN (edited by) : *The history*

and politics of colonialism 1870-1914. Cambridge, 1969, 8º (Hoover Institution Publications), ainsi qu'aux trois premiers chapitres de :
Michael CROWDER : *West Africa under Colonial Rule*, Londres, 1968, 8º.
Les livres de HARGREAVES, SAINT-MARTIN et PERSON signalés ci-dessus (Introduction) sont également utiles.

L'ENGRENAGE DU CONGO

Sur l'exploration, le meilleur ouvrage d'ensemble est :
Margery PERHAM et J. SIMMONS : *African discovery.*
J. SIMMONS : *Livingstone and Africa*, Londres, 1955, 16º.
Résume dans un petit livre, alerte et précis, la biographie du médecin-missionnaire-explorateur.
Il n'y a pas d'ouvrage d'ensemble sur les voyages de Stanley, dont la personnalité est remarquablement mise à nu par :
Ian ANTHRUSTER : *I Presume. Stanley's triumph and disaster*, Londres, 1956, 8º.
Sur Brazza on consultera les volumes de la collection : « Documents pour servir à l'Histoire de l'Afrique équatoriale française », deuxième série :
Brazza et la fondation du Congo français.
t. I : *Brazza explorateur : l'Ogoué*, sous la direction de Henri BRUNSCHWIG, Paris, 1966, 8º; t. II : *Les Traités Makoko*, Paris, 1971, 8º; t. III : *Brazza et la prise de possession du Congo*, par Catherine COQUERY-VIDROVITCH, Paris, 1969, 8º.
La politique de Brazza est analysée dans :
Henri BRUNSCHWIG, *L'Avènement de l'Afrique noire*, Paris, 1963, 8º.
Sur Léopold II, du maquis de livres et articles qui n'ont pas cessé de proliférer, émerge d'abord un excellent portrait psychologique et moral :
Neal ACHESON : *The King incorporated. Leopold the second in the age of trusts*, Londres, 1963, 8º.
Sur l'action de Léopold II, on ne peut se dispenser de recourir aux ouvrages, un peu diffus, mais très documentés du Père
A. ROEYKENS : *Les débuts de l'œuvre africaine de Léopold II, 1876-1879*, Bruxelles, 1955, 8º; *Le dessein africain de Léopold II.* Nouvelles recherches sur sa genèse et sa nature (1875-1876), Bruxelles, 1956, 8º; *Léopold II et*

la Conférence géographique de Bruxelles, 1876, Bruxelles, 1956, 8°; *La période initiale de l'œuvre africaine de Léopold II*, nouvelles recherches et documents inédits 1875-1883, Bruxelles, 1957. *Léopold II et l'Afrique, 1855-1880*, essai de synthèse et de mise au point, Bruxelles, 1958, 8°. Ce dernier volume, qui renvoie aux précédents et à une bibliographie d'une centaine de titres est à consulter d'abord.

J. STENGERS : *Combien le Congo a-t-il coûté à la Belgique ?* Bruxelles, 1957, 8°, apporte une étude originale et apprécie la rentabilité financière de l'action de Léopold, et : *Léopold II et la Rivalité franco-anglaise en Afrique, 1882-1884*, Revue belge de philosophie et d'histoire, t. XLVII, 1969, n° 2. p. 425-479, éclaire les négociations sur la fixation des frontières de l'Etat indépendant.

François BONTINCK : *Aux origines de l'Etat indépendant du Congo*, Louvain, 1966, 8°, renouvelle l'histoire du Congo belge, en particulier en ce qui concerne l'activité de Stanford en faveur de la reconnaissance par les Etats-Unis, et la Conférence de Berlin.

On complétera ce choix par les titres mentionnés ci-dessus, dans « Problèmes et controverses » à propos de la *Politique de Bismarck* et de *Scramble et course au clocher*.

LA CONFÉRENCE DE BERLIN

L'ancienne monographie de :
Sybil E. CROWE : *The Berlin West African Conference 1884-1885*, Londres, 1942, 8°.
Toujours utile, doit être mise à jour à l'aide des nombreuses études de détail publiées depuis.

On se référera au livre de François Bontinck et à l'article de Jean Stengers, cités ci-dessus, à la bibliographie de nos « Problèmes et controverses », *Politique coloniale de Bismarck* et *Scramble et course au clocher*, au chapitre de Roger Louis : *The Berlin Conference revisited* de l'ouvrage collectif sous presse :

Prosser GIFFORD et Roger LOUIS : *France and Britain in Africa. Imperial rivalry and Colonial Rule*, Newhaven, Londres, 1971, 8°.

Le rapport et les procès-verbaux rédigés pour le Quai d'Orsay sont essentiels :

E. ENGELHARDT.
Documents diplomatiques. Affaires du Congo et de

l'Afrique occidentale, Paris, Ministère des Affaires Etrangères, 1885, 4° (Livre jaune).

L'AFRIQUE ORIENTALE

Notre texte se fonde essentiellement sur la synthèse événementielle, brève et précise de :

L. W. HOLLINGSWORTH : *Zanzibar under the Foreign Office, 1890-1913*, Londres, 1953, 16°.

F. F. MULLER : *Deutschland, Zanzibar, Ost-Afrika. Geschichte einer Deutschen Kolonialeroberung 1884-1890*, Berlin, 1959, 8°.

Renouvelle toute l'histoire de la pénétration en Afrique orientale. Tant sur Peters, sur l'intervention militaire allemande, sur les intérêts capitalistes en jeu, sur Emin Pacha et les Pangermanistes, que sur la politique britannique et les intérêts de Mac Kinnon et de ses associés, cet énorme livre, à tendance marxiste, est indispensable.

Sur l'évolution de l'ensemble de l'Afrique orientale au cours de la période du partage, on consultera l'ouvrage collectif :

Roland OLIVER et Gervase MATHEW (auquel a succédé pour le t. II. E. M. CHILVER) :

History of East Africa, Oxford, t. I., 1963, t. II, 1965, 8°. Plus spécialement t. I chap. VII-XII et t. II, chap. I et III.

Deux ouvrages, plus anciens, restent utiles :

Reginald COUPLAND : *East Africa and its invaders from the earlier times to the death of Seyyid Said in 1850*, Londres, 1938, 2ᵉ éd., Oxford, 1958, 8°, et *The exploitation of East Africa 1856-1890*, Londres, 1939, 8°.

Enfin, pour comprendre ce qu'a signifié sur les plans psychologique, sociologique, économique, le contact entre Bantous et Blancs, on devrait lire le remarquable ouvrage de :

Philip MASON : *The birth of a dilemma. The conquest and settlement of Rhodesia*, Londres, Oxford, 1958, 8°.

LES GRANDS TRAITÉS DE PARTAGE

Les principaux recueils de traités sont :

De CLERCQ : *Recueil des traités de la France*, Paris, 1880 s., 23 vol. 8°.

Ministère de la Marine et des Colonies, *Recueil des traités*, Afrique.

E. ROUARD de CARD : Traités de délimitation concernant l'Afrique française, Paris, 1908, 8°.

Sur les traités de 1890, outre les ouvrages cités ci-dessus de Renouvin, Langer, Hollingsworth, l'article de :

A. S. KANYA-FORTSNER : *French African Policy and the Anglo-French Agreement of 5 August 1890*. The Historical Journal, t. XII, n° 4, 1969, p. 628-650.

Montre bien la liaison entre l'accord germano-britannique et l'échange de lettres franco-britannique. L'auteur, qui ne s'explique pas pourquoi Salisbury avait « oublié » d'informer la France des négociations avec l'Allemagne, montre que les dirigeants français ont, à l'époque, été satisfaits du résultat obtenu. Sa thèse infirme donc celle des historiens français d'après laquelle l'accord du 5 août 1890 aurait été interprété comme une défaite. L'opinion, cependant, très rapidement, adopta cette dernière attitude. Il resterait à préciser cette évolution, et particulièrement celle d'Eugène Etienne.

Sur Fachoda, les ouvrages les plus récents et les plus complets sont :

George N. SANDERSON : *England, Europe and the Upper Nile*, Edimbourg, 1965, 8°, à compléter avec la thèse encore manuscrite, mais en voie de publication de :

Marc MICHEL : *La Mission Marchand 1895-1899* (sous presse) et :

Robert O. COLLINS : *King Leopold, England and the Upper Nile 1899-1909*, New Haven et Londres, 1968, 8°.

Roger GLENN BROWN : *Fashoda Reconsidered. The Impact of Domestic Politics on French Policy in Africa (1893-1898)*, Baltimore et Londres, 1970, 8°.

INDEX

TABLE DES MATIÈRES

OUVRAGES PARUS

GUYARD Jacques, Des routes de pèlerinages aux voyages organisés : naissance du tourisme.

HAUPT Georges et REBÉRIOUX Madeleine, Les socialistes et la Première Guerre mondiale.

JOACHIM Benoît, Une décolonisation dévoyée : Haïti.

JOXE Alain, Armée et politique en Amérique andine.

JULLIARD Jacques, Syndicalisme et socialisme.

KLEIN Jean-Claude, Chansons et société.

LAPERROUSAZ E.-M., L'attente du Messie.

LE GOFF Jacques, Le millénarisme.

LEWIN Roland, Anarchistes et marxistes.

LYOTARD Jean-François et CAGNETTA Franco, Le mouvement du 22 mars.

MARGARIDO Alfredo, Le fascisme portugais.

MAYEUR Jean-Marie, Les catholiques sociaux et la hiérarchie.

METTAS Jean, L'Afrique et la traite : un bilan.

MICHEL Henri, Pétain, Laval, Darlan, trois politiques ?

MITCHELL Harvey, La contre-révolution.

MONIOT Henri, Islam et Afrique noire.

NUNES Amerigo, Les révolutions du Mexique.

OZOUF Jacques, La gauche française et le problème colonial.

PARET Roger, De Byzance à l'Islam.

PASTOR DE TOGNERI Reyña, Tolède, de l'Islam au christianisme.

QUILLET Janine, Pouvoirs et idéologies au Moyen Age : l'Eglise contre l'Etat.

RIOUX Jean-Pierre, La IIIe République et les Ligues.

ROMANO Ruggiero, Les Conquistadors.

RONY J.-A., L'homme et la magie.

ROUQUETTE Michel, L'occitanisme politique contemporain.

SARAIVA Alberto, Les Noirs et la formation de la civilisation latino-américaine.

SIROTKIN Vladen, Tilsitt : trêve ou alliance?

VASJUKOV W., Le dilemme de Brest-Litovsk.

VIDAL-NAQUET Pierre, Le fonctionnement de la démocratie athénienne.

VIEILLESCAZES François, Les Chinois en Afrique (XIVe-XXe siècle).

VILAR Pierre, Catalogne et régionalisme en Espagne.

VILLARI Rosario, Le problème du *Mezzogiorno.*

WACHTEL Nathan, Les Indiens devant la conquête.

WORMSER Olga, Le pacte germano-soviétique et les communistes français.

AUTRES QUESTIONS D'HISTOIRE EN PRÉPARATION

Franc-Maçonnerie et Révolution ■ La 3e Internationale et l'Orient ■ La question noire aux U.S.A. ■ L'armée dans la société contemporaine ■ Communisme et mouvement national au Viet-Nam ■ Le mode de production asiatique ■ Socialisme et Islam ■ Eveil du mouvement national au Maghreb ■ Séditions et séditieux en France au XVIIe siècle ■ Renaissance et sorcellerie ■ La grève ■ Les dilemmes de l'*Intelligentsia* ■ La femme en pays d'Islam ■ L'Eglise dans la société italienne ■ Le problème kurde ■ Le régime socialiste en Scandinavie ■ Politique et société à Byzance ■ Cronstadt 1921 ■ Les caractères originaux de la vie politique au Brésil ■ Jansénistes et Jésuites ■ l'idéologie révolutionnaire en Amérique latine ■ Les communistes avant le Parti ■ L'ultra-gauche ■ L'Amérique latine, de l'indépendance à la dépendance ■ Marxisme et psychanalyse ■ L'Indiscipline des armées ■ Médecine et société ■ Plans d'avenir de Hitler ■ Le Kuomintang latino-américain ■ Histoire d'une invasion : la peste ■ Suez, Palestine, Dhofar trois tactiques ■ Napoléon et le retard industriel de l'Europe ■ La terre aux paysans ■ Peur et société ■ Luttes ouvrières aux U.S.A. ■ Nature du régime soviétique ■ Guerre et guerrillas au XXe siècle ■ Le chômage.